Recueil d'histoires de vie
des survivants
des pensionnats indiens du Québec

Coordination : Richard Gray et Martine Gros-Louis Monier

Rédaction : Les ateliers du Maître

Réalisation des entrevues : AS Média

Révision : Sylvie Sioui Pichette

Graphisme et illustrations : Christiane Vincent

Impression : Les Copies de la Capitale Inc.

Ce document a été produit par la :

Commission de la santé et des services sociaux des Premières Nations du Québec et du Labrador

250 place Chef Michel Laveau, local 102

Wendake (Québec) GOA 4V0

Tél. : (418) 842-1540

Téléc. : (418) 842-7045

Site web : www.cssspnql.com

Ce document est disponible en anglais.

Mars 2010

ISBN : 978-1-926553-29-0

Introduction

Depuis des temps très anciens, les peuples des Premières Nations sont les gardiens du territoire. Ils en font le tour, y puisent le nécessaire à la vie, au bonheur, y trouvent savoir et sagesse. Leur mode d'apprentissage est l'observation. La parole alors, lorsqu'elle advient, vise l'essentiel : la piste perdue, l'attaque, le message du Créateur.

Mais c'est dans un profond silence que les Premières Nations ont vécu l'expérience d'une détresse si profonde que pour la faire cesser, elles ont presque renoncé à elles-mêmes.

D'abord, les communautés ont été déplacées, isolées, déposées çà et là sur des territoires restreints, appauvris. Puis, on a coupé les liens familiaux. Les enfants ont été isolés sur des territoires vides de joie, d'amour, de sens. Ce genre de lieux épuise l'âme, empêche de grandir, d'aimer et de s'aimer. Comment reconstruire ensuite sa vie défaite ?

Le temps est venu de la parole nécessaire et juste. Alors, c'est toute une histoire qui a été contée, celle des peuples des Premières Nations du Canada et des actes insensés qu'on leur a fait subir, jour après jour, simplement pour les assimiler et leur prendre leur territoire, leur langue, leur culture pour qu'ils ne soient plus.

Les voix sont devenues de plus en plus nombreuses à parler des pertes inconsolables. Parfois, c'était des murmures, parfois des sanglots, des reproches. Mais elles sont bien réelles et ce qu'elles racontent est la vérité. Elles insistent, elles s'entêtent. Tout, alentour, inquiète car l'histoire est terrible et vraie.

Aujourd'hui, ces voix refont les liens défaits. Elles disent: « Ne restez pas seuls, venez. Souvenez-vous de qui vous êtes, souvenez-vous de votre art, de votre connaissance du monde, de votre langue. Nous ne pouvons pas et ne voulons pas retourner en arrière. Mais il faut cesser de vivre dans la peur et la honte. »

En ces temps où le monde change, voici venue la nécessité de la parole, le temps des guides, de ceux qui se sont perdus et ont repris le sentier, qui écoutent à nouveau la langue de leurs Pères. Ce sont ceux que vous entendrez ici. Ils sont sans prétention, humains, souffrants, ils viennent aussi de l'errance, de l'oubli d'eux-mêmes, de pertes innombrables. Mais aujourd'hui, ces voix qui se lèvent portent à nouveau les rires, l'amour, la fierté, l'espoir.

Le cercle dit qu'il n'existe aucune chose qui soit définitive, tout survient, passe et se renouvelle. Le cercle dit que personne ne peut vivre et survivre seul, que tout est définitivement lié et que ce qu'on délie se transforme invariablement un peu plus loin, un peu plus tard. Alors, nous les Premières Nations, nous les Premiers Peuples, regardons, écoutons et rassemblons-nous.

Table des matières

Photo : Patrice Gosselin

« Il y a des journées où ma colère est moins intense. Je me suis donné des moyens. Quand je la sens venir, je joue de la guitare. Je l'entends ma guitare et lorsqu'elle sonne agressive, je sais que c'est la colère. Je le sens. Et quand elle est bien mélodieuse, je sais que je suis bien avec moi-même. »

Alex
Lac-Simon, Saint-Marc-de-Figuery

Je suis né à Rapide-Sept. C'est là qu'était le territoire de mes parents. Mon père est décédé quand j'avais cinq ans. Je me le rappelle à peine et cela ne m'a pas aidé quand je suis entré au pensionnat.

À Rapide-Sept, on vivait dans des cabanes, dans le bois, avec la famille de ma mère. Quand mon père est décédé, il bûchait et faisait de la drave. J'allais le voir à son travail, je me rappelle. Il est décédé d'un banal accident. Il a été imprudent. Il est tombé à l'eau et s'est noyé. C'était l'automne et, à cause de son habillement, il est tombé à pic. C'est tout ce que je connais de l'histoire de son décès.

Quand je suis entré au pensionnat, j'avais 6 ans et demi. Je me rappelle qu'on nous disait de monter dans l'auto, mon frère John et moi. Rendus au pensionnat, lui et moi, on est devenus comme des étrangers. C'était comme une séparation. Il faisait ses affaires. On avait chacun notre groupe d'amis. Lui, il était dans la bande rivale. Cela a été différent avec William, mon plus jeune frère. Lorsque je suis entré au pensionnat, j'étais tellement perdu. Il était perdu lui aussi et je me souvenais de ce que j'avais ressenti. Alors j'étais près de lui le plus souvent possible.

Le pensionnat, c'était complètement un autre univers. Je ne connaissais pas la douche. La lumière avec l'interrupteur, c'était étranger pour moi. Tout était étrange, bizarre et je ne connaissais pas un mot de français. Tout ce que je connaissais, c'était : « Je m'appelle Alex ». C'est ma mère qui me l'avait appris. Et le mot pain, « du pain ». Quand il y avait des consignes, je ne comprenais rien et je me faisais taper. C'est devenu bien brutal. Ce qui m'a beaucoup affecté, c'est le premier soir et la première douche. Quand j'ai ressenti les jets d'eau sur mon corps, j'étais content de la sensation que je vivais.

Le surveillant qui était là avait une espèce de grattoir qui lui servait à enlever l'eau au fond du bain et il m'a tiré bien fort avec cela, derrière la tête. J'ai glissé et je suis tombé. Et depuis, je crois que j'ai le nez cassé. Mais je dis cela et je ne suis pas certain, peut-être que cela ne vient pas de là.

Les deux premières années ont été très difficiles. J'avais de la misère avec la langue française. Dès les premiers jours d'école, tout a été très brutal. Je suis un gaucher. J'ai eu des coups de règle, car ils essayaient de me faire écrire de la main droite. J'étais toujours aux aguets, car j'avais fini par comprendre qu'on m'en voulait parce que j'écrivais de la main gauche. Alors, je faisais semblant d'écrire et je changeais de main quand le frère était passé. Il a fini par comprendre que cela ne servait à rien. Et moi, ce que j'ai fini par comprendre quand j'ai su le français, c'est que c'est la main du diable. Alors, dans ma tête d'enfant, j'ai cru que j'étais le diable. Cela m'a troublé et m'a dérangé beaucoup. Avec le temps, à cause des règlements, je suis devenu un enfant qui confrontait toujours, qui défiait. Je suis comme cela encore aujourd'hui mais un peu moins pire.

Nous sommes comme des oignons, une pelure à la fois. C'est comme cela que je vois ma vie aujourd'hui. Parfois des odeurs, des bruits, de la musique me rappellent ces moments-là, parfois tristes, parfois joyeux. Je n'ai pas été triste pendant quatre ans. Quand tu es un petit gars, tu t'adaptes. Tu trouves le moyen de t'amuser quand même. Au pensionnat, sans le hockey, je serais devenu fou. Le sport a été ma béquille. Jusqu'à l'âge de trente ans, j'ai joué au hockey et quand j'étais sur la glace, je me défoulais. Aussitôt qu'il y avait un adversaire, je m'organisais pour le ramasser. C'est peut-être une des raisons qui ont fait que j'ai accroché mes patins de bonne heure.

Au pensionnat, il y a eu des abus physiques, psychologiques et même sexuels. C'est ce que j'ai vécu. C'est ce qui a été le plus difficile à dire, à exprimer.

Quand j'ai repris le cours de ma vie, je n'avais pas de point de repère. Je n'avais que ma mère qui était très autoritaire. Elle ne parlait pas le français, elle essayait de me faire comprendre que j'étais le plus vieux et que j'avais une responsabilité là en partant. Alors elle exerçait son autorité en algonquin et on n'avait pas le choix de l'entendre. L'Anishnabe. Elle ne m'a pas lâché pour que je comprenne la langue et la responsabilisation, l'exemple que je donnais en tant qu'aîné.

Dans les années 1960-1970, le gouvernement a donné un peu de « lousse » aux Indiens. Il y avait une école provinciale ici, à Louvicourt. C'est là que je suis allé, puis à la polyvalente d'Alma.

Quand je suis sorti du pensionnat, je vivais de la colère. Mais je n'étais pas capable d'identifier la colère, c'était tellement enfoui profondément. À cause de la religion omniprésente au pensionnat, on n'avait pas le droit d'exprimer nos émotions, la colère surtout, car on allait brûler en enfer pour l'éternité. Quand j'ai commencé à comprendre le français, je trouvais cela long l'éternité, brûler en enfer pour l'éternité. Je me souviens que j'avais de la misère à dormir quand j'avais fait une erreur ou une faute. Je pensais que j'allais brûler en enfer. J'étais terrifié dans ma tête d'enfant. J'avais trente ans et cela me marquait encore.

Tout jeune, j'ai appris à geler mes émotions, à ne rien ressentir. À la mort de mon père, je me vois en train de consoler ma mère. Je pensais que j'étais en contrôle, mais je ne vivais pas. J'étais gelé. À un moment donné, c'est la consommation qui a fait le travail. Aujourd'hui, je commence à être heureux, à me sentir bien. Aujourd'hui, mes émotions sont moins intenses. Je les vis encore mais ce qui m'apaise beaucoup, c'est que je sais d'où cela vient.

J'ai commencé à consommer très jeune, vers l'âge de quatorze ans. C'était une béquille pendant un certain temps, une mauvaise béquille, une fuite. Heureusement, j'étais très sportif. On s'entraînait et on était disciplinés, mais, après les parties de hockey, on fêtait nos victoires. Un moment donné, je buvais parce que j'avais perdu. Et puis, je ne savais plus pourquoi je buvais. J'avais créé mon propre enfer.

Je me suis marié quand même assez jeune. Nous avons eu trois filles. Ma plus grande était souvent triste. Mon comportement la rendait triste. Un beau matin, j'ai emmené toute la famille à Domrémy. C'est la première fois que j'allais chercher de l'aide. Je voyais d'autres personnes qui avaient arrêté de consommer et elles avaient l'air bien. Moi aussi, je voulais être bien. Je suis allé à quelques rencontres des AA. J'étais en guerre avec la religion alors, aussitôt qu'ils ont dit le «Notre-Père», je suis sorti de là. J'y suis retourné un an et demi plus tard. J'ai compris que ce n'était qu'une prière. J'ai commencé à me démêler aussi. J'ai compris que la religion et la spiritualité étaient deux choses différentes. J'ai commencé à faire des distinctions, à comprendre que ceux qui m'avaient abusé, ce n'était pas la religion mais que c'était l'homme, des personnes. Je commençais à démêler cela dans ma tête.

Ce qui m'a beaucoup aidé à cheminer, c'est mon retour aux études en 1996. Je suis retourné faire un bac en travail social à Val d'Or. La première année, trois fois par semaine, sur le pouce par moins trente, habillé comme un cosmonaute. J'ai toujours eu cela comme projet quand j'étais jeune adulte, je voulais faire du travail social. J'ai pris quatre ans. Il y a eu des moments où j'ai dû prendre conscience de ce qui m'était arrivé, regarder ce passé qui continuait à me suivre. Je ne réalisais pas encore la place du pensionnat dans ma vie. Je tentais de fuir ça. Les études m'ont aussi permis d'arrêter de consommer pendant quatre ans. J'ai pu voir la différence. Mais, une fois par année, je me donnais la permission de fêter. Souvent, j'avais l'impression de devenir fou, surtout durant les fins de session, à la remise des travaux.

Quand j'ai gradué, j'ai travaillé ici auprès des hommes en réinsertion sociale et dans les centres de détention comme agent de probation. Cela a duré un an et demi. Les signes de tentatives de suicide avaient commencé. En une semaine, on en avait eu trois. Là, j'ai commencé à faire des cauchemars. J'ai fait un infarctus, une année après le début des tentatives de suicide. J'étais allé jeûner dans le bois et, en revenant, je n'ai pas respecté les consignes. Je me suis poussé à fond et j'ai fait un infarctus. Après cela, j'ai changé ma vie. Je n'ai pas fait le ménage, j'ai simplement changé de vie et ensuite, j'ai fait le ménage. Quand je suis revenu travailler, j'ai dit « fin de contrat » et je suis parti du Lac Simon.

Je me suis séparé de ma femme. Il y avait un poste à Val-d'Or. Je faisais l'évaluation des besoins qu'il fallait mettre en place pour aider les jeunes. Un jour, la directrice de l'école secondaire me dit: « Je ne trouve pas cela normal que, dans une école, la moitié des élèves qui arrivent du primaire se retrouve dans une classe spéciale. Je ne comprends pas tous ces troubles d'apprentissage ». Alors je commence à lire sur les troubles d'apprentissage. Je rencontre un professeur de l'université de Sherbrooke qui avait fait une étude dans une communauté sur les troubles d'apprentissage. Je suis cette piste-là et les pensionnats reviennent. Je reçois de la documentation de la Fondation de guérison. Je commence à m'informer, je veux savoir qui sont ces jeunes, qui sont leurs parents. C'est la deuxième, la troisième génération. Cela vient du pensionnat. À l'école, je suis devenu colérique avec les professeurs non autochtones. Cela ne marchait plus et j'ai donné ma démission. C'était ma colère refoulée que je n'avais pas encore évacuée.

J'étais toujours en cheminement et, en 1995, j'ai commencé à entrer en contact avec la spiritualité autochtone. J'ai rencontré celui qui a été mon mentor jusqu'à son décès en 2003. Il venait de Maniwaki. Il m'avait pris sous son aile, comme les apôtres et Jésus, je le suivais aveuglément. Et il est parti, il est décédé. J'ai eu beaucoup de difficulté à remonter de cela. Notre mère est décédée aussi cet hiver-là. À l'audience, au mois de mai, a suivi une évaluation psychologique qui m'a beaucoup marqué. Quand je suis sorti de là, j'avais l'impression que mon esprit marchait à côté de moi sur la rue Sherbrooke. Je suis allé manger et ensuite j'ai dû aller me coucher. J'étais épuisé. J'ai compris pourquoi ils nous payaient deux nuits à l'hôtel.

Et là, j'ai fait des rêves bien bizarres. Dans le premier rêve, j'arrive au bord d'un lac. Je vois des enfants en train de jouer au bord de l'eau, mais eux ne me voient pas. Je suis un adulte et je m'avance. Ils se donnent la main et ils tournent, des enfants de différentes couleurs, des bruns, des jaunes, des noirs. En avançant vers le lac, il y a comme des sacs d'ordures qui sortent de l'eau. Des vidanges, plein de vidanges qui sortent de l'eau. Je retourne sur la colline et je m'aperçois qu'il y en a partout. Je m'avance vers les enfants, l'un me sourit. Je vais jouer avec eux, je tourne en rond avec eux.

Un peu plus tard cette même nuit-là, j'ai fait un autre rêve étrange. Je suis dans la chambre et je rêve de cette chambre où je dors. Il y a des chaises brisées, plein d'objets brisés et, moi, je veux garder cela. Le garçon d'étage vient chercher tout cela mais, moi, je veux les garder. Je suis en train de me fâcher avec le gars. À un moment donné, j'ai lâché prise. Et quand ils ont eu fini de tout ramasser, ils m'ont apporté un beau plat, un beau repas, quelque chose de savoureux.

Bien sûr, j'ai interprété ces rêves. Dans le premier, l'eau, c'est les émotions. Le fait qu'il y ait des enfants me dit que c'est là depuis longtemps. Je me voyais comme un enfant dans un corps d'adulte. Cet enfant, finalement, fait le ménage. Je suis le seul adulte dans ce rêve.

Dans le second, je vois le lâcher prise. C'est ce que j'ai fait plus tard. Il y avait de vieilles choses que je gardais et j'ai tout jeté, même les vieux pantalons. J'ai fait le ménage.

Mon plus grand rêve, je le fais tout éveillé. Je veux offrir le service, aller bâtir une cabane dans la forêt et retourner à la source. J'ai beaucoup travaillé avec les aînés. J'ai appris au niveau de la culture et de la spiritualité. Je voudrais tout simplement vivre dans le bois. Je sais que je survivrais, même en hiver quand c'est plus dur.

Ce que je souhaite beaucoup, c'est que les gens commencent à ouvrir les yeux. Les gens ne se parlent pas, ils se renferment. Il y a beaucoup de mesquinerie, de commérages. Les gens se sous-estiment et sous-estiment les autres. Les gens devraient commencer à être reconnaissants vis-à-vis eux-mêmes et vis-à-vis les autres.

Il faudrait un temps d'arrêt, la vie va tellement vite. Même si au Lac-Simon on est comme dans le bois, tout va vite. Je ne vois pas mes semaines passer. Je joue, je m'améliore, je veux m'acheter une autre guitare électrique. On veut chanter dans notre langue, on veut faire un autre album. L'art thérapie m'intéresse et la PNL aussi, comme approche efficace, ici et maintenant.

Souvent, les gens veulent apaiser leurs souffrances tout de suite. La PNL leur permet cela. Ici et maintenant.

Être un membre des Premières Nations, ça veut dire pour moi faire partie d'un peuple qu'on a voulu exterminer. On fait juste revivre qui nous étions et qui on voulait être. Et ce n'est pas fini, c'est juste un commencement. Pour quelques-uns, encore, ils dorment mais d'autres sont éveillés.

Dans la vie, on se pose la question qui on est. Quand on n'est pas capable de répondre à cela, on pleure. Je ne savais pas qui j'étais, j'ai beaucoup réfléchi. Je faisais tout pour les autres, pour ne pas perdre mes amis. Ce qui a été dur, c'est que tout ce qui était moi en tant que personne, ce n'était pas important. C'est ce que le pensionnat nous a appris, ce que la religion catholique nous avait appris. C'était un conflit en moi, un conflit général sur les valeurs, les façons de faire. Juste parler de soi-même, c'était trop égoïste. À parler de ce que j'ai vécu, je pensais parfois que c'était un rêve. À l'audience, j'étais en choc émotionnel. C'est ensuite que les faits sont revenus clairement.

Je ne suis pas rendu au pardon et à la réconciliation. J'ai beaucoup de difficulté à accepter l'état des choses, ce qui s'est passé. Pour me réconcilier, il faudrait que j'accepte ce que j'ai vécu et je ne suis pas rendu là. Il y a des journées où ma colère est moins intense. Je me suis donné des moyens. Quand je la sens venir, je joue de la guitare. Je l'entends ma guitare et lorsqu'elle sonne agressive, je sais que c'est la colère. Je le sens. Et quand elle est bien mélodieuse, je sais que je suis bien avec moi-même. L'hiver, je gratte la neige, je me défoule sur la neige. Je fends du bois. Parfois les gens offrent de m'aider et je leur dis « Non, non, je vais le faire moi-même ». Cela m'aide, me défoule. « Tu devrais ouvrir la fenêtre et jeter ton bois », qu'ils me disent et je réponds « Non, non ». Moi, je veux rentrer le bois tranquillement et le descendre en bas. Je fais cela pour vivre dans le moment présent. Je me concentre sur ce que je fais, je me concentre sur le moment présent. Je veux être vraiment dans le moment présent, sinon qu'est-ce que cela donne ? Avant, je n'étais pas capable de faire cela, commencer à déballer mes choses, surtout les affaires plus pénibles. J'ai toujours été en démarche.

Le fait d'aider les autres m'a servi de bouée de sauvetage pendant longtemps. J'ai compris que je devais prendre soin de moi aussi, la guitare, les arts, donner des spectacles, le bois, la spiritualité, les sweat lodge. Maintenant, je me sens en forme. Aujourd'hui, la musique m'aide beaucoup. Elle me permet de m'exprimer.

Quand j'ai su la date de l'audience du 16 mai passé, j'ai paniqué. Je ne pouvais plus prendre le temps de vivre. Je ne dormais plus, je devais toujours faire quelque chose. Actuellement, je suis en recherche sur la prévention du suicide. Mes enfants ont toujours su que je suis allé au pensionnat. Eux aussi ont subi les effets du pensionnat. Nos enfants aussi vieillissent. Les premières fois, j'ai eu beaucoup de difficulté à répondre à leurs questions. Aujourd'hui, quand je leur réponds, c'est toute une histoire et ils sont toujours bien contents de m'entendre. J'ai rencontré des survivants des pensionnats, surtout des jeunes parents qui ne savent rien des pensionnats. J'avais fait un projet d'animation auprès des jeunes adultes et c'était la première fois que j'entendais un jeune me dire : « C'est quoi cela les pensionnats ? » Pourtant, je connais bien ses parents. Les deux sont allés au pensionnat mais n'ont jamais parlé de cela. Moi, je n'ai rien dit. Ce n'était pas à moi de leur dire cela. Ils venaient de découvrir quelque chose et ils ne comprenaient plus rien.

Photo : Patrice Gosselin

« On était tellement renfermés. Je n'avais jamais fait le lien avec les pensionnats. Je trouve encore cela difficile. Je croyais que je me comportais normalement parce que nous étions plusieurs de la communauté à être allés au pensionnat et que nous agissions tous de la même façon. »

Anne-Marie
Matimekush-Lac John

Je m'appelle Anne-Marie, je viens de Matimekush-Lac John. Je suis allée au pensionnat de Maliotenam. J'ai complètement effacé cela. Je ne me souviens même plus comment je suis arrivée là-bas. Et j'en suis repartie à la fermeture en 1972. J'étais en deuxième année en arrivant au pensionnat. Il y avait mon frère, ma soeur, mes oncles et mes tantes. Nous sommes tous allés au pensionnat.

Moi, j'ai été élevée par mes grands-parents, car ma mère était partie. Avant le pensionnat, j'étais tout le temps dans le bois. Mes plus beaux souvenirs, c'était quand on était dans le bois. On partait au mois d'août, après la procession de la Sainte-Vierge. Ce qui m'intéressait le plus, c'était la pêche. À la fermeture du pensionnat, je suis revenue dans la communauté.

Parfois au pensionnat, les fins de semaine, ils nous emmenaient dans le bois et on se promenait. J'aimais cela. Avec le temps, on s'est fait des amis, on allait glisser et patiner. En sortant du pensionnat, j'étais rendue au secondaire. Je suis revenue à l'école ici. Tous ces événements sont restés profondément marqués en nous mais on n'en parlait pas. Pour guérir, je m'évadais dans le bois. Ma relation avec mes grands-parents n'a pas changé. Ma grand-mère m'a tout montré et elle m'a éduquée. Moi, je l'écoutais et c'est ce qui m'a le plus aidée. Elle est morte à quatre-vingt-treize ans. J'ai eu deux enfants. Ils ont été, eux aussi, un facteur de guérison pour moi.

Vers l'âge de dix-huit ou dix-neuf ans, j'ai commencé à consommer. J'ai commencé à penser à m'en sortir ensuite parce que j'étais dans le Conseil et que j'ai entendu parler des projets de guérison. Je m'en suis occupée et j'ai reçu un montant. Puis, on a fait des projets. On est allés dans le bois avec deux psychologues. Pendant les deux premiers jours, personne ne voulait parler. Cela a pris du temps.

On a fait d'autres projets. Le groupe s'agrandissait, il y avait des nouveaux. On était tellement renfermés. Je n'avais jamais fait le lien avec les pensionnats. Je trouve encore cela difficile. Je croyais que je me comportais normalement parce que nous étions plusieurs de la communauté à être allés au pensionnat et que nous agissions tous de la même façon. Une de mes cousines voulait être avec nous au pensionnat. Elle a été déçue de ne pas y venir, car on n'y envoyait que ceux dont les parents allaient dans le bois. Plusieurs ont encore de la difficulté à en parler.

J'ai consommé drogues et alcool. J'ai cessé quand je me suis aperçue que je n'étais plus capable de fonctionner comme il faut. Ce qui m'a le plus aidé à arrêter de consommer, ce sont les rencontres en forêt. Elles avaient lieu une fois par semaine. Je retrouvais là ce que j'avais vécu quand j'étais jeune avec mes grands-parents. Après ces années au pensionnat, quand mon grand-père mettait un filet dans le lac l'hiver, c'est moi qui allais avec lui. Je me dépêchais avant que les gars le lui demandent. C'était avant que je me marie. Après mon mariage, je suis revenue à Schefferville. On est allés vivre pendant trois mois dans le bois et ça, c'est un très beau souvenir pour les enfants. Ma fille n'aimait pas aller dans le bois mais mon garçon aimait vraiment cela.

J'ai cinq petits-enfants dont un qui vit chez nous; il a deux ans. Je voudrais transmettre à mes petits-enfants le goût de la nature comme ma grand-mère l'a fait pour moi autrefois. Elle m'amenait toujours avec elle. On se levait de bonne heure le matin. Les gars allaient voir les pièges. On allait toujours au même endroit. Il y avait une petite cabane de bois construite par mon grand-père. Dedans, il y avait un petit poêle à bois. Ma grand-mère nettoyait les fourrures et moi, je voulais l'aider. Elle enlevait la viande de la fourrure. Elle avait peur que je brise ses peaux de martre, de vison, de renard et de loup. Mes grands-parents vendaient la fourrure. Je la regardais et j'apprenais comment faire mais elle ne voulait pas que je l'aide. Elle mettait aussi des collets autour de la cabane. Un jour, elle et moi, on a fait un concours de cuisson de canard. Il n'y a pas eu de gagnante.

J'ai toujours parlé ma langue avec mes grands-parents. Quand on est revenus ici, mes enfants parlaient français. Ils ont appris l'innu en jouant avec les autres enfants. Ce qui me rend heureuse aujourd'hui, ce sont mes petits-enfants. Je suis très fière d'être membre des Premières Nations. Je souhaite que mes petits-enfants retrouvent la culture de notre peuple et nos valeurs traditionnelles. Je ne sais pas pourquoi il y a tant de changements. La télévision, ça change tout. Ici, une fois par année, tout ferme durant la semaine culturelle : l'école, le Conseil, etc. Tout le monde s'en va dans le bois. Les jeunes aiment vraiment beaucoup cela. C'est au mois de mai pendant la chasse aux outardes. On se prépare, on monte le campement et tout le monde chasse. Moi, mon rôle, c'est de plumer les outardes.

Je me promène dans le bois toute seule, en raquette s'il reste de la neige. Cela me fait du bien. Je me suis toujours promenée toute seule dans le bois.

Je suis catholique mais je ne prie pas souvent, juste quand j'en ai besoin. Cette année, j'ai fait mon carême pour prier un peu plus. Je n'ai pas fait de changement dans ma religion après le pensionnat. Moi, j'en voulais davantage à ma mère qui n'était plus là. Elle était partie à l'extérieur et je n'ai pas connu mon père. Présentement, ma mère est revenue. Aujourd'hui, elle a soixante-seize ans et on prend soin d'elle.

Moi, j'ai été plus mère avec mes enfants. J'ai vécu très proche d'eux. Mon garçon a quatre enfants et nous sommes encore très proches les uns des autres. Mon grand-père a pleuré quand je me suis mariée. Mon mari est un Malécite et j'ai été heureuse avec lui. J'ai reconstruit une famille mais mes enfants n'ont pas été élevés en forêt.

Photo : Patrice Gosselin

« La vie de tous les jours était un enseignement, un apprentissage sans personne pour nous dire qu'on ne valait rien. On vivait tout simplement en travaillant à nos nombreuses tâches quotidiennes; on savait comment vivre par nous-mêmes. C'était le bonheur et je connais beaucoup d'histoires d'enfances heureuses. »

Catherine

Micmac, Pensionnat de Shubnagidy

Ma vie avant le pensionnat était très paisible. Je pense que les souvenirs de mon enfance ont maintenu mon identité autochtone malgré le pensionnat, grâce à l'habileté que le Créateur m'a donnée d'oublier ces pénibles années. Pendant quarante à cinquante ans, j'avais oublié ma vie de pensionnaire. Je m'en suis rappelé dans les années 1990, et là, j'ai eu des problèmes. J'ai dû faire face à tout ce que j'avais vécu. J'ai dû apprendre à gérer la douleur et la colère qui m'habitaient à cause de tout ce que j'avais subi. Je me suis mise à faire des cauchemars. Je ne dormais pas beaucoup et je pleurais souvent. Je ne dormais plus dans le même lit que mon mari. Je ne pouvais plus fonctionner. J'ai fait une grave dépression. Je suis encore en thérapie. En ce moment, je sens que je n'en sortirai probablement jamais. D'autres sont capables de s'en sortir, je les vois, je le sais.

Quand la RCMP est venue, nous ramassions du bois pour l'hiver. Nous étions ensemble et nous étions bien. J'avais huit ans. Quelqu'un est arrivé en courant et a dit : « La police est là, ton père veut que tu rentres à la maison. ». On a cru qu'il était arrivé quelque chose à ma mère. À la maison, ma mère pleurait et notre père est sorti. On a été mis dans une charrette et on est partis. En route, on a ramassé d'autres enfants, ici et là, dans d'autres réserves aux alentours. Ils nous ont amenés à la gare sans bagage, seulement avec ce que nous avions sur le dos. Les enfants pleuraient et demandaient où étaient leurs parents. On a voyagé en train toute la journée. Le soir, on est arrivés au pensionnat. Des Sœurs nous ont fait descendre du train. Elles nous ont mis en rang, deux par deux, dans le noir. Les enfants pleuraient. En arrivant au pensionnat, elles ont coupé nos cheveux et nous ont déshabillés pour nous laver. Elles nous frappaient en nous disant de nous taire, d'arrêter de pleurer. J'ai de la difficulté à penser à cela, ça me bouleverse. Ils nous traitaient comme une bande de sauvages.

Notre entrée à l'école, ce fut ça. J'ai probablement passé quatre ans au pensionnat. J'ai vu beaucoup de choses malheureuses. On n'avait aucun droit, pas le droit d'être trop heureux, pas le droit de rire, pas le droit de pleurer, pas le droit de chanter ni de parler notre langue. Tout cela faisait qu'on se refermait sur nous-mêmes. On ne pouvait pas exprimer nos émotions. Quand des gens venaient nous visiter, elles nous demandaient de sourire.

Au pensionnat, je travaillais dans les cuisines. Je commençais ma journée à quatre heures du matin en faisant le déjeuner pour toute l'école, les Sœurs et les prêtres aussi. Après, j'allais en classe pendant une heure ou deux. Ensuite, je faisais le dîner et le souper. C'était cela à chaque jour. À partir de la troisième année, tout le monde avait des tâches; les deux premières années, on n'en avait pas. On ne passait pas beaucoup de temps en classe, seulement trois à quatre heures par jour. On se faisait dire qu'on était mauvais. Bien plus que des leçons, c'est ce dont je me souviens,

Je ne savais pas que mes problèmes venaient du pensionnat. J'avais refoulé tout ça. Pendant cinquante, soixante ans, on a fait semblant que cela n'était jamais arrivé. Quand je rencontrais des gens qui étaient allés au pensionnat, on ne parlait jamais de cela, jamais. Aucun survivant ne m'a parlé du pensionnat. La nation micmac a vécu dans le noir, car personne ne parlait de ces tristes années. Personne ne voulait s'en souvenir. Même moi qui suis allée au pensionnat, je ne savais pas que les générations précédentes y étaient allées aussi. Je l'ai appris dans les années 1990.

Je les reconnais ceux qui sont allés au pensionnat. Je peux voir l'impact que cela a eu sur eux et sur leur famille. Il y a des parents qui ne savent pas comment aimer, comment donner de l'affection. Il y a certaines familles de survivants qui traitent leurs enfants comme ils ont été traités à l'école. Par exemple, ils prennent leur bain tous ensemble avec leurs sous-vêtements. C'est comme cela qu'ils lavent leurs enfants. C'est une histoire triste dont les répercussions dureront aussi longtemps qu'il y aura des survivants. Peu importe que l'on dise à nos enfants que ça fait maintenant partie du passé.

Les Autochtones n'ont pas eu le droit d'exister en tant qu'Autochtones. Ils nous ont pris les valeurs morales qui viennent avec la langue : le respect, la dignité humaine, l'amour des enfants et l'héritage de cet amour, l'unité. Je pourrais parler sans cesse de tout ce que nous avons perdu. Je raconte mon histoire pour que les gens commencent à comprendre et aussi pour arriver à pardonner à l'humanité. Cette humanité qui ne pouvait pas accepter que les Autochtones soient des humains avec une culture différente. C'est difficile de penser au futur de mon peuple. L'impact majeur, pour moi, c'est que je ne peux plus avancer.

Longtemps dans ma vie, j'ai été créative. J'organisais, je dirigeais et je travaillais pour les autres. Puis soudain, je ne vaux plus rien. Je suis ici à vous raconter mon histoire et c'est tout ce que je suis capable de faire.

Je suis très têtue, je ne me décourage pas facilement. Je n'ai pas oublié ma langue même si, au pensionnat, on m'empêchait de la parler. Si une Sœur ou un prêtre me surprenaient à parler ma langue, ils me tiraient les cheveux, ils m'humiliaient. Cela ne m'empêchait pas de penser dans ma langue. Tant que je peux penser, tant que ma langue reste dans ma tête, je peux continuer et je continue. Je veux que ma famille, que les Autochtones et que l'humanité entière sortent de ce chemin sans issue et voient toutes les belles choses que nous pourrions réaliser ensemble. C'est ce qui me motive.

Pour moi, une enfance heureuse c'est de ramasser des baies, de se baigner, de grimper aux arbres, d'aider une vieille femme à tresser ses cheveux, de l'aider à se laver, d'être avec mon père et ma mère, de regarder mon père sculpter des oiseaux et des animaux avec son couteau, d'aider ma mère à faire des paniers. Les mères faisaient faire la finition des paniers par les enfants. La vie de tous les jours était un enseignement, un apprentissage sans personne pour nous dire qu'on ne valait rien. On vivait tout simplement en travaillant à nos nombreuses tâches quotidiennes; on savait comment vivre par nous-mêmes. C'était le bonheur et je connais beaucoup d'histoires d'enfances heureuses. C'est cela qui me pousse à continuer. J'ai le souvenir d'une barque avec mon père; j'apprenais en l'aidant, sans me faire battre ni humilier.

Être Autochtone, est-ce que cela a besoin de vouloir dire quoi que ce soit ? Pour moi, cela veut dire que je suis vivante, que le Créateur me reconnaît, que je vis sur la terre et que j'ai le droit d'être sur cette planète. Je le vis comme je le vis. Je ne m'éloigne pas de mon chemin. Je ne porte pas de plumes si je n'y suis pas obligée. Je suis allée au musée avec d'autres Autochtones. Nous parlions notre langue, notre langue micmac. Un étranger m'a demandé où étaient mes plumes. Je lui ai dit que j'étais une Autochtone, pas un oiseau. Je n'ai pas besoin d'essayer d'être comme les autres. J'aime être différente, j'adore cela. J'adore être en vie et j'aimerais vraiment guérir de mon expérience des pensionnats, car cela fait beaucoup de tort à ma vie, à ma famille et à mon peuple. Je souhaite paix et amour à toutes les communautés.

Certaines nations ont déjà cessé de parler leur langue et pour d'autres, elle cesse d'évoluer. Nous avons développé une mentalité individualiste et matérialiste plutôt que de suivre notre habitude de prendre soin les uns des autres. Toute l'humanité, pas seulement nous mais nous surtout, a été affectée par la façon dont nous vivions. L'influence des pensionnats, les guerres et l'époque des soldats nous ont marqués. Maintenant, c'est la télévision. Ce n'est même plus la réalité qui nous influence, nous sommes envahis par une fausse réalité.

Pour mes enfants ainsi que les sept prochaines générations, je leur demande de vivre en harmonie, de ne pas être en trouble avec eux-mêmes. Je souhaite à tous une spiritualité intérieure. J'essaie d'apprendre à mes enfants, de leur apprendre avec sagesse. J'ai des enfants éduqués et instruits. Je leur dis: « Souviens-toi qui tu es et apprends avec sagesse, ça, tu peux le transmettre. La stupidité est partout mais c'est différent pour la sagesse. ». Mon rôle de grand-mère aujourd'hui est difficile à décrire, car mes petits-enfants vivent loin, partout. On se parle mais ce n'est pas pareil. Je ne les vois que trois fois par année, on perd beaucoup de temps. Je ne peux pas contribuer pleinement, je suis de passage.

Je ne pense pas qu'on puisse un jour revenir à une vie qui nous ressemble, qui nous restitue notre identité autochtone. Maintenant, on laisse les autres faire à notre place et décider pour nous au lieu de prendre les choses en main. Nous nous isolons d'une société fonctionnelle et nous ne sommes pas constructifs à cause de cela. On ne contribue pas. Cela va nous prendre beaucoup de temps avant de retrouver notre mentalité. Nous devons sortir de l'isolement et de la mésentente, c'est un vrai gros travail.

On se bat dans un monde corporatif, même les gouvernements se battent avec des corporations affamées et prêtes à n'importe quoi. La compagnie Nestlé en est un exemple: elle s'installe dans un pays et assèche les terres en drainant toute l'eau. Ces gens-là, comment on les arrête ? Toutes les terres fertiles qui servent à la survie de l'humanité sont en train d'être bouffées par les grosses corporations. Quand je regarde autour de moi, il y a de moins en moins d'eau, de terre, et d'arbres qui maintiennent la terre en place et de plus en plus de coupes, de glissements de terrain, de conséquences écologiques que les riches croient qu'on ne voit pas. Nous vivons ici depuis quelques milliers d'années. Je le répète, il faudrait questionner les corporations.

Avant, notre gouvernance tenait à des traités. Notre gouvernement, c'était le Grand Conseil. On avait un seul chef pour tous les Micmacs et il était responsable des Nations de l'Atlantique, du Maine et de la Nouvelle-Angleterre. Tout le monde était d'accord avec cela. Tout s'est brisé quand les Anglais sont arrivés. Les Micmacs ont vécu cent ans avec les Français avant leur expulsion et ils s'entendaient bien. Quand nous sommes revenus des pensionnats, nous n'étions plus acceptés. Nous avons été bannis et rejetés; nous n'étions pas les bienvenus. Plusieurs ne parlaient plus notre langue. Les aînés ne nous comprenaient plus, alors près de 90 % d'entre nous sont partis aux États-Unis ou ailleurs. Quand les Autochtones ont eu le droit de vote, ils ont aussi eu le droit d'aller à la banque et d'acheter de l'alcool. Tout un cadeau.

« Je joue dans la brise légère
Le temps est bon
Ma mère est ici, mon père n'est pas loin
Je me sens en sécurité et protégé
Puis un jour, on m'emmène
Ma mère ne peut cacher sa peur et l'esprit de mon père est parti »

Avant, je chantais. Aujourd'hui, je ne chante plus. J'ai perdu ma voix, j'ai perdu mon âme chantante.

« Toutes ces années-là, c'est ma mère que j'ai cherché, l'amour de ma mère. Quand j'ai compris ça, c'est là que j'ai pu voir mon chum comme un homme et l'aimer comme un conjoint, comme un être humain. »

Denise

Je m'appelle Denise et j'ai passé sept ans au pensionnat de Pointe-Bleue.

Mon conjoint et moi, on se parle; on se dit « mon amour ». On est comme des enfants qui jouent aux adultes. Lui, il me dit souvent : « C'est parce qu'on n'a pas eu notre enfance, on la vit aujourd'hui. » Moi, je dis que ce n'est pas la même chose, que tout ce bonheur-là, vivre avec ses parents, rire et courir, aujourd'hui c'est comme si je n'avais plus vraiment les capacités de faire cela. J'ai cinquante ans. Je ne peux pas jouer comme si j'étais une enfant. J'accompagne les personnes en audience et je comprends lorsqu'on nous dit qu'il n'est jamais trop tard pour vivre son enfance. Mais, lorsque j'écoute le survivant qui exprime ce qu'il ressent, je comprends quand il dit que ce n'est pas la même chose de vivre son enfance à cinquante ans que de la vivre à quatre ou cinq ans. Je suis réaliste aujourd'hui. Et je suis capable de me dire que j'ai eu une enfance malheureuse, que j'ai été mal, que j'ai eu mal. Je suis capable de l'accepter. Ce que j'ai vécu, vu et entendu a fait de moi la personne que je suis. Je n'aurais pas eu ce fils, ces petits-enfants. J'ai vécu une relation difficile pendant dix ans et c'est de cette relation que j'ai eu mon fils. Alors, je ne regrette rien.

En sortant des pensionnats, je n'ai pas vraiment pensé qu'il pouvait y avoir des choses à changer. Je n'avais même pas d'aptitude à réfléchir; des capacités, je n'avais pas cela. J'avais seulement appris à faire ce que je voyais, ce qu'on me disait de faire. Je ne pensais pas qu'il y avait des choses à changer. J'avais cinq ans en partant. Aujourd'hui, je sais que, dès le premier départ, j'étais brisée. Tout ce que j'étais avant était brisé. Avec les années, ce sentiment a été renforcé par les départs répétitifs. C'était la coupure, la rupture, la séparation d'avec mes parents.

Dans mes souvenirs d'enfant, je n'ai jamais pleuré. J'ai été des années à avoir deux ou trois images dans ma tête. Je voyais une petite fille dans l'autobus, je savais que c'était moi. Elle ne pleurait pas, elle ne disait rien non plus. Sur une autre image, je me voyais couchée dans un lit, je regardais le plafond et je me répétais dans ma tête : « Je suis chez nous, je suis chez nous, je suis... » Quand je me réveillais et que j'ouvrais mes yeux au pensionnat, à chaque fois, mon cœur d'enfant s'en allait.

Avec les années, je ne me sentais pas bien non plus lorsque j'allais chez nous. Je ne réfléchissais pas à ça mais la colère que je portais s'amplifiait, s'amplifiait, car je n'étais plus bien nulle part. Par la suite, en sortant du pensionnat, les départs ont continué. J'ai dû aller en ville dans une famille d'accueil. Sans encadrement, ce n'était plus pareil. Ils nous donnaient un montant d'argent pour aller nous habiller. On était quatre dans cette famille d'accueil et on n'était même pas capables de prendre une décision concernant nos vêtements. On s'achetait tous les mêmes choses, on s'habillait pareil, comme au pensionnat. Et, quand on marchait sur les trottoirs, on marchait deux par deux, les uns derrière les autres. Nous n'avions aucune individualité. Au pensionnat, on n'avait pas à décider, ni à penser. On nous donnait tout : pâte à dents, savon, etc.

Sans cet encadrement, sans la menace de la police, de nos parents ou de la prison, c'était devenu si facile de s'en aller, de ne plus aller à l'école. J'ai commencé à consommer des drogues et de la boisson à quinze ans et cela a duré des années, des années, des années. Je me suis mariée et la première fois que j'ai voulu quitter mon mari, je ne suis partie que dix ans plus tard. Mon fils avait sept ans et il est venu avec moi. C'est lui qui a décidé de venir avec moi. Je n'étais même pas en état d'en prendre soin.

C'est la consommation qui avait le dessus et mon fils m'a réveillée. Pendant la consommation, je lui disais : « Je vais t'acheter ci, je vais t'acheter ça ! » et il s'est mis à crier après moi : « Ce n'est pas vrai maman ! Tu contes des menteries maman ! » Je pleure en parlant, mais c'est déjà beaucoup plus facile que c'était. À chaque fois que je parle de cela, que je le raconte, je vais de mieux en mieux. En temps normal, je suis bien avec moi-même. J'ai une paix d'esprit toute nouvelle. Je ne me sens plus mal comme je me suis déjà sentie mal. Quand je m'implique dans des projets de guérison, cela m'aide à aller voir où cela fait encore mal, où c'est sensible et où je dois travailler. Il n'y a que le temps qui peut guérir certaines choses. Quand je suis sortie de ma dépression, quand j'ai compris que j'en étais sortie, tout est devenu différent.

Quand j'ai laissé mon mari, je suis partie de la communauté. Mon fils voulait toujours y retourner et pourtant, il n'y allait jamais. Je ne savais pas pourquoi. C'est son père qui m'a raconté que, quand il revenait, les autres enfants lui disaient : « Ta mère n'est pas là, ta mère a quitté ton père. »

Il était fatigué de cela. Mon fils a toujours été le déclencheur des réveils, des prises de conscience. Il m'a fait voir, par son vécu, ce que j'ai été comme mère, ce que j'avais appris à mon fils.

Quand j'ai décidé d'arrêter de consommer, car c'est moi qui l'ai décidé, je ne suis pas allée chercher de l'aide, je l'ai fait seule. Et au bout de trois ans, j'ai recommencé. J'ai connu un autre bas-fond. Mon ex-mari m'a conseillé d'appeler au dispensaire et de leur dire que j'avais un problème de consommation. J'ai appelé mais, moi, je ne pensais pas avoir de problème de consommation. Je leur ai dit ce qu'on m'avait dit de dire. Ils m'ont référée en désintoxication. Au bout de vingt et un jours, d'habitude ils vous gardent vingt et un jours, je commençais seulement à me sentir mieux. Je ne voulais pas sortir. Je me sentais seule. J'avais peur de sortir, de me ramasser à l'extérieur. J'ai été trente-trois jours en désintoxication.

Ma peur, c'était de faire face au monde que je ne connaissais pas. Je me sentais effrayée, démunie. C'était la première fois que je ressentais vraiment ce qui vivait à l'intérieur de moi. Je fonctionnais dans la brume en suivant les autres. Faire comme les autres me rassurait et puis, cela est devenu une dépendance. Je retombais. Je pouvais arrêter cinq ans, je retombais. J'essayais les AA, je posais des questions. Je parlais de ma consommation mais jamais des pensionnats. En faisant du mouvement AA, je n'étais pas bien. J'avais arrêté de boire mais je n'étais pas bien. Je n'étais que peur et colère.

Le plus gros travail que j'ai fait, c'est en 2006. J'avais atteint ce que je cherchais, j'avais ce que j'avais toujours voulu. En travaillant sur certain projets, j'ai été témoin des séquelles léguées par les pensionnats à tous les niveaux dans la population : la peur, l'inquiétude, dévaloriser l'autre, parler contre l'autre, pas pour mal faire, mais c'est ce que nous ont fait les pensionnats. J'avais aussi ces séquelles. Et je devais être au-devant des autres en sachant que cela m'empêchait de faire un bon travail, de porter mes valeurs, le respect, la bonté, le partage. Les séquelles m'empêchaient d'être ce que je voulais être. Je savais que je devais changer.

Je suis née en 1959 et la première fois que j'ai entendu parler des pensionnats, c'est au rassemblement à Trois-Rivières, en 1999. Après, je suis partie pleurer dans ma chambre et je me disais : « C'est vrai, c'est vrai. » C'est à ce moment-là que je me suis réveillée, que je suis devenue consciente de ce qui s'était passé. Et puis, je me suis rendormie. Les projets sont arrivés et je voulais y travailler. Alors j'ai fait ma première psychothérapie avant d'embarquer dans des formations.

Un jour, je l'ai vue ma dépendance affective, je l'ai vue dans ma boisson. Je savais que ma dépendance affective était en train de me tuer. Un matin, c'est là que tout est arrivé. Je me suis vue, moi, dans la rue, essayer… Là, je l'ai revue la petite fille. Elle appelait son chum mais ce n'était pas son chum qu'elle voulait, c'était sa mère. Toutes ces années-là, c'est ma mère que j'ai cherchée, l'amour de ma mère. Quand j'ai compris ça, c'est là que j'ai pu voir mon chum comme un homme et l'aimer comme un conjoint, comme un être humain. C'est là que j'ai compris que l'amour de ma mère que je n'ai pas eu quand j'étais enfant, je ne l'aurais plus.

Aujourd'hui, je vais bien. J'agis autrement qu'avant. Je ne me sens plus attaquée, humiliée, rabaissée, je ne me sens plus une petite fille démunie. J'ai cinquante ans, des outils et des capacités. Aujourd'hui, j'ai fait la coupure. Je pense à mon père, à ma mère et à mes frères. Je vis avec mes bons et mes mauvais souvenirs mais ce n'est pas souffrant. J'ai mon fils, mes petits-enfants, des amis, mon monde. Il y a du monde, toujours du monde. Et encore du travail à faire, beaucoup de travail pour être au bout. Il faut encore un moment marcher avec les deux cultures mais notre culture va prendre le dessus. Il faut faire les choses qui vont aider à réaliser cela. J'ai reçu beaucoup d'enseignement occidental pour arriver à m'en sortir. C'est ce que ça m'a pris pour apprendre à connaître ma culture, à la voir.

Je suis fière d'être membre des Premières Nations. On a survécu à tout ce qu'on a vécu. Je suis fière de ma différence, de ma culture que je vois de plus en plus. Je distingue maintenant les deux cultures, comme je distingue maintenant ma vie familiale de ma vie sociale et de ma vie professionnelle. Mes émotions sont beaucoup plus faciles à gérer. Là, j'ai atteint ce que je voulais. Ce sont des aptitudes que j'aurais tant voulu avoir avant. Je veux porter ma culture, la connaître et la faire connaître. Aujourd'hui, je sais ce que je fais, j'ai des objectifs, des gros objectifs et des petits buts pour atteindre mes objectifs.

Ma mère est décédée en 2004, deux jours après la naissance de mon petit-fils. C'est moi qui étais avec elle lorsqu'elle a rendu son dernier souffle.

« Il paraît que, de zéro à cinq ans, on apprend tout ce qu'il est nécessaire de savoir pour arriver à fonctionner le reste de notre vie. C'est notre bagage pour vivre. Moi, de un an à quatre ans, j'ai recueilli de l'information pour vivre comme un Anishnabe et, tout d'un coup, je ne pouvais plus me servir de ces informations... »

Esprit libre

Mon nom est « Esprit libre ». Ma mère m'a eu quand elle n'avait que seize ans et elle a mis mon frère au monde alors qu'elle en avait quatorze. Je suis arrivé à l'orphelinat de La Tuque à l'âge de quatre ans. Deux Indiens étaient venus nous accompagner en train jusque là et, tout d'un coup, ils ont disparu. Quand les religieuses sont parties avec ma petite soeur, j'étais vraiment tout seul. Après, je n'avais pas le droit d'aller la voir. Je n'avais qu'elle comme famille et elle vivait un étage au-dessus de moi. Un an plus tard, ils l'ont envoyée chez les Soeurs du Bon-Pasteur à Québec. Je l'ai revue ensuite quelques fois. Elle est décédée maintenant.

À l'orphelinat, c'était comme s'ils m'avaient placé dans un endroit secret, isolé de mon monde, dans un autre monde hostile. Le soir, lorsque je me couchais, je plaçais le drap par-dessus ma tête. Je m'isolais et je partais à l'intérieur de ma tête, je flottais à l'intérieur de mon corps. C'est ce qui m'a permis de ne pas devenir méchant. Parfois je partais, je volais au-delà du mur et je retournais dans le Nord, par-dessus les lacs et le Saint-Maurice. Et alors, je prenais conscience que personne ne m'attendait ailleurs. Je n'avais pas d'endroit où m'évader. J'avais le pouvoir de redevenir esprit dans mon corps. Je crois que c'est un don que j'ai reçu sur la réserve. J'allais me ressourcer pour pouvoir survivre le lendemain. Les guérisseurs se servent de l'énergie qui vient de l'esprit. J'en ai fait l'expérience souvent et je me sers de ce don encore aujourd'hui.

Je me suis fait battre pour briser mes souvenirs de la langue algonquine. Il m'en reste quelques bribes, très peu, quelques mots. J'ai appris le français jusqu'à le posséder encore mieux que les Soeurs. Mon livre de chevet était le dictionnaire Larousse. J'avais des notes parfaites en français. Quand je suis arrivé à l'orphelinat, je ne parlais que l'algonquin avec une part d'anglais. Ils me faisaient comprendre violemment que je ne devais pas dire un mot dans ma langue. Quand ils me donnaient des ordres dans leur langue, je leur demandais qu'est-ce qu'ils voulaient dire. On me croyait alors arrogant et je recevais la strappe.

Quand j'étais jeune, j'avais une voix en or. J'étais soliste dans le choeur de chant de l'orphelinat. J'ai déjà chanté devant une foule de personnes à La Tuque, sans micro. J'avais une voix très forte et très juste. Ils m'apprenaient les chants d'Église en latin et, comme ce n'était pas du français, je les apprenais par coeur en chantant et en regardant. Quand je chantais à la chapelle, les gens reconnaissaient ma voix. À neuf ans, j'ai été opéré des amygdales et le lendemain, je n'avais plus de voix du tout.

Il paraît que, de zéro à cinq ans, on apprend tout ce qu'il est nécessaire de savoir pour arriver à fonctionner le reste de notre vie. C'est notre bagage pour vivre. Moi, d'un an à quatre ans, j'ai recueilli de l'information pour vivre comme un Anishnabe et, tout d'un coup, je ne pouvais plus me servir de ces informations et on me frappait pour me faire oublier ce que je connaissais.

Un jour, ils m'ont emmené en auto pour m'acheter des souliers et nous sommes retournés à l'orphelinat. Quand la Soeur est partie, je suis allé à l'évier, j'ai ouvert les robinets et j'ai enlevé mes souliers. J'ai plongé mes souliers neufs dans l'eau. J'ai été battu pour ça. Pendant longtemps, je n'ai pas su pourquoi j'avais fait cela. Plus tard, j'ai appris dans un reportage que les Indiens trempaient leurs mocassins neufs et trop durs dans l'eau et qu'ils les mâchouillaient pour les ramollir. Pour moi, c'était instinctif, c'était ce que j'avais appris. Je me souviens aussi d'une dame qui nous emmenait sur la voie ferrée pour ramasser de la vitre. À l'époque, je ne savais pas pourquoi. Maintenant je sais que c'était pour gratter les peaux.

J'étais le seul Autochtone à l'orphelinat. À sept ans, le jour de ma première communion, le professeur nous avait envoyés nous laver les mains et il fallait aller montrer nos mains à la maîtresse. Pour les autres qui étaient des Blancs, c'était correct. Quand moi j'ai présenté mes mains, à l'intérieur elles étaient blanches mais à l'extérieur, la maîtresse disait qu'elles étaient sales, de la couleur des Indiens, des Sauvages. Elle m'a retourné trois fois me laver les mains, pour finir par venir me les laver elle-même. Moi, je savais que cela ne partirait pas. J'avais des mains d'Indien mais elle a frotté jusqu'à ce que j'aie les mains en sang.

Pour faire l'équilibre avec la souffrance, souvent la vie nous donne quelque chose de particulier. À l'école, j'étais le premier et dans les jeux aussi, j'étais bon. Un jour, la Sœur a dit que les Indiens étaient des êtres à moitié humain et à moitié animal. En troisième année, je n'étais pas bon en français et j'ai passé un test où je ne comprenais presque rien. En quatrième année, j'ai fait un autre test et j'ai terminé premier. J'ai dit aux autres : « Si je suis un Sauvage à moitié animal et à moitié humain, et je suis le premier, vous êtes quoi vous autres ? » Le gouvernement a payé mes études et cela m'a aidé beaucoup. Je suis devenu le premier technicien en électronique autochtone au Canada. À l'Expo de Montréal, au pavillon des Indiens, il y avait une grande photo de moi en entrant.

J'ai deux filles et je sens que cela va bien avec mes enfants. Je suis grand-papa. Le lien avec mes filles a été un peu ardu à faire. Personne ne me l'a montré. J'ai appris tout seul et je l'ai fait tout seul. J'aimais mieux prendre du temps pour que cela fonctionne. Par exemple, un jour, j'ai passé quatre heures avec une de mes filles à inventer une stratégie qui donnait une bonne réponse en mathématiques. Ma fille faisait du patin artistique. Je la filmais et ensuite je lui expliquais qu'elle devait toujours pouvoir se positionner dans l'espace. Aujourd'hui, on appelle cela de la visualisation mentale. Moi, je sais que c'est la méthode indienne qui se transmet d'un être humain à un autre être humain.

Ce qui m'a aidé et ce qui continue de m'aider, c'est d'aller retrouver l'esprit à l'intérieur de moi. Quand je veux quelque chose, je le demande à l'énergie présente en moi. Il faut fermer les yeux et sentir le guide à l'intérieur de soi. Même quand je fais du sport, je lui dis : « Guide-moi. » Ce qui est vraiment moi est en moi. Un jour, je vais mourir et je vais continuer de vivre même si mon corps retourne à la terre. On dirait que c'est naturel ce passage à l'intérieur de moi, cette chaleur. Quand j'ai commencé à travailler et que j'avais de la difficulté, j'allais voir à l'intérieur de moi.

Les Premiers Peuples commencent à être reconnus. J'ai vu plusieurs personnes chercher des liens de parenté avec les Indiens dans leur famille. Je n'ai jamais eu honte d'être Autochtone. Je me demandais pourquoi j'étais à l'orphelinat mais je ne me demandais pas pourquoi j'étais un Autochtone. Le véritable être humain est à l'intérieur, dans l'esprit. Si on est capable de montrer cela à nos enfants, on sera sur la bonne voie. On fait partie du Grand Esprit. Nous sommes une partie de lui. C'est lui le chef de tous les esprits et, si on peut le rejoindre à l'intérieur de soi, on peut réussir sa vie.

Plusieurs choses sont encore insaisissables, sauf à l'intérieur de soi où tout est simple et vrai. Parfois il faut aller jusqu'à la mort pour comprendre cette dimension, comprendre ce qui existe vraiment. Nous avons besoin de l'éducation de l'esprit pour passer d'un monde à l'autre. Les Autochtones vivaient un enseignement ancien : les trois jours que prend l'âme pour laisser le corps après la mort physique. Avant, les traditions demandaient d'incinérer le corps et de laisser les oiseaux partir avec les os. L'incinération purifie le corps pour que l'âme puisse retourner au Grand Esprit.

À Émotifs Anonymes, on peut raconter nos problèmes, nos difficultés. Si on les raconte, si on les partage, à chaque fois que quelqu'un en prend un peu, cela devient plus supportable. Je dis merci aux gens qui étaient là et qui m'ont permis de m'exprimer. Partager, raconter, cela aide. Dans mon entourage, c'était tabou. Les gens n'aiment pas entendre ceux qui ont de la difficulté. Le vague à l'âme est encore là, à l'intérieur de moi, comme si on m'avait enlevé quelque chose quand j'étais jeune. À l'intérieur de moi, il y a un vide et quand je vais y voir, cela fait mal. Il y a des choses qui sont difficiles. Les gens ont des parents et parlent de leurs parents. Moi, je ne parle pas beaucoup. Je n'ai pas de parents. Je suis seul, je suis orphelin. Je parle d'autre chose quand les autres parlent de leur enfance.

Il faut avoir la chance de se faire éduquer pour avoir une belle vie. Il ne faut pas s'isoler, il faut trouver une façon de vivre pour ne pas l'être. Certaines de nos communautés sont très isolées. Certains des nôtres n'ont rien et ils doivent apprendre à vivre par eux-mêmes. Il faudrait être capable de trouver des ressources dans notre milieu et dans le respect de notre culture.

J'ai rencontré quelqu'un qui ressemble, pour moi, à la récompense de toute une vie. Aujourd'hui, je suis heureux. J'ai un petit-fils de trois ans et je vais être à nouveau grand-papa. Et le père de cet enfant qui s'en vient m'a demandé la main de ma fille. Mon petit-fils se nomme comme moi, il porte mon nom de famille. C'est le nom que ses parents lui ont donné, même si son père a déjà un nom, un grand nom. Mon petit-fils porte un nom et toute une tradition autochtone.

Recueil d'histoires de vie des survivants des pensionnats indiens du Québec

Photo : Hemera

« Chaque personne a une histoire qui vaut la peine d'être entendue. La vérité consiste à dire ce qu'on a vécu. »

Harry

Je m'appelle Harry et j'habite à Pikogan. Je suis allé au pensionnat de Saint-Marc-de-Figuery pendant cinq ans. J'ai eu une enfance très heureuse. On était onze ou douze enfants et on vivait dans la forêt. À ce moment-là, la réserve de Pikogan n'existait pas encore. Avant d'aller au pensionnat, je n'avais jamais vu l'homme blanc.

Mes frères et mes sœurs sont allés au pensionnat avant moi mais on leur défendait d'en parler à la maison. Je crois que j'ai été le premier à embarquer dans l'autobus; ils nous attiraient avec des bonbons. Quand je suis arrivé au pensionnat, j'étais curieux. Je n'avais jamais imaginé qu'on puisse séparer les familles. J'avais de la peine pour ma mère qui perdait ses enfants. Les Sœurs nous parlaient de Dieu. Je ne savais pas qui était ce dieu-là, cet être imaginaire. Je le voyais sur un piédestal. On me l'a imposé et j'y ai cru.

J'ai subi beaucoup d'agressions au pensionnat par des Frères et par des Sœurs. Je croyais que c'était normal. J'en ai parlé à ma mère, car je ne comprenais pas pourquoi les représentants d'un Être suprême m'éduquaient de cette façon. Je suis devenu révolté à cause des mauvais traitements. On me défendait de parler à mes sœurs et on nous interdisait de parler notre langue. J'étais tellement angoissé ; le soir, à chaque fois qu'on allait se coucher, je paniquais. Je me demandais à qui serait le tour ce soir-là, le mien ou celui d'un de mes amis. Même quand on était malade, on nous faisait endurer des mauvais traitements à l'infirmerie.

Quand je suis sorti du pensionnat, on m'a interdit de parler des agressions que j'avais subies. Ma grand-mère paternelle était plus catholique que le pape. Ma mère me croyait mais elle se taisait pour ne pas faire de chicane dans la famille. En classe, le professeur ne me comprenait pas et les Blancs m'insultaient. Cela aurait été si facile de m'exprimer dans ma langue mais c'était interdit. Alors, j'ai lâché l'école et je suis revenu dans ma communauté. Plusieurs consommaient : alcool et drogues. J'ai commencé à consommer très jeune. J'étais tellement révolté que je me suis lié à une gang de rues qui faisait la loi. J'ai consommé jusqu'à ce que je sache que j'avais une maladie très rare.

Un jour, ma mère m'a demandé d'aller chercher une pinte de lait et je suis parti sur le pouce à Montréal. J'avais seize ans. Je voulais apprendre un métier, celui d'électricien. La maladie m'a forcé à interrompre ma formation. Finalement, j'ai fait de la coiffure dans le bas du fleuve. J'ai été absent de ma communauté pendant vingt ans.

Quand j'étais petit garçon, on vivait dans la forêt. Notre nourriture était adaptée à ma maladie. Plus tard, quand j'ai dû manger la nourriture des Blancs, j'ai failli en mourir. Trois membres de ma famille sont morts de cette maladie-là. Les médecins disent que le meilleur environnement pour moi se trouve dans les zones tropicales. J'y vais chaque année. Je me fais soigner parce que je veux vivre. Je n'ai pas droit à la boisson et c'est mieux ainsi, car trop de colère m'habite encore.

Je suis à l'aise de parler des sévices que j'ai subis, car j'ai été capable de me pardonner à moi-même. Pour en arriver là, j'ai dû en parler beaucoup. J'ai été Chef dans la communauté pendant quinze ans. Je disais aux gens : « Parlez-en, il faut en parler. » Moi, je me suis renfermé car j'avais honte. Ma mère me disait que je n'avais pas à avoir honte, que ce n'était pas de ma faute ce qui était arrivé. J'ai entrepris des démarches à l'extérieur de la communauté. Si je n'avais pas pu me pardonner, je n'aurais pas pu aider les autres. Ma première épouse m'a beaucoup aidé. J'étais le seul Autochtone dans la région où je vivais et j'étais très gêné. J'ai fait plusieurs métiers. J'ai voyagé partout, surtout en Europe. J'ai rencontré des gens qui souffraient du même mal que nous. Alors, j'ai commencé à parler de ma souffrance. Ça m'a libéré mais il y a des moments qui sont en nous et qui, tôt ou tard, refont surface et nous atteignent. Un jour, des gens que j'aimais m'ont fait des violences et c'est là que tout est sorti. Quand je repensais à la violence subie au pensionnat, ça se traduisait aussitôt par de la violence. Quand les gens usaient de violence verbale, psychologique ou physique, ça ressortait. Tôt ou tard, ça sort.

J'ai fait des thérapies. Ils te donnent des outils mais la véritable thérapie commence vraiment quand tu sors de là. Eux, ils ne font que te donner des outils. Quand on finit par s'accepter soi-même, on fait un pas vers la guérison. Ma foi m'a sauvé. Moi, c'est ce que je veux vraiment, guérir et tourner la page avec l'aide de mon Créateur. La foi, c'est croire en soi, en ses capacités, en sa libération, c'est vivre au présent et non au passé. Le passé ne reviendra jamais. Je dois regarder d'où je viens et où je vais. Avec le temps, on y arrive. Le passage du temps est important. La croissance a besoin de temps pour s'accomplir. Peu importe ce qu'on a vécu, il faut prendre le temps de s'arranger.

En revenant dans ma communauté, j'ai retrouvé mes valeurs. La plupart des gens reviennent à leurs valeurs vers l'âge de trente-cinq ou quarante ans. Chacun possède un talent naturel qu'il doit exploiter pour ne pas mourir ignorant. J'ai voyagé et j'ai aussi appris à écouter. La personne qui sait écouter va chercher une leçon de sagesse des autres. Je sais que le Créateur existe. J'ai déjà été sept mois dans le coma. J'entendais des voix autour de moi mais je ne pouvais pas communiquer. Quand je repense à ce que j'ai vécu et à ce que j'ai ressenti alors, je me dis que j'aimerais pouvoir retourner dans cet état-là. Pas au point de m'enlever la vie, car la vie est trop courte. Mais quand on la vit dans la tempête, c'est très dur. Je dis que cela vaut la peine d'en parler avec les autres.

Chaque personne a une histoire qui vaut la peine d'être entendue. La vérité consiste à dire ce qu'on a vécu. Une médaille n'est jamais assez mince pour n'avoir qu'un seul côté; il faut faire connaître notre version. J'aime apprendre mais sans qu'on me l'impose. Chaque peuple est libre d'apprendre ce qu'il veut. En regardant les peuples des Premières Nations, je me dis qu'il faut parler de ce qui s'est passé. La version connue nous donne un rôle de victimes. C'est dangereux. Je ne veux pas être une victime. Je peux être quelqu'un qui a vécu une mauvaise expérience mais je refuse d'être une victime. J'ai surmonté ces épreuves. J'ai fait la paix avec ce que j'ai vécu et je pense qu'il vaut mieux ne pas s'éterniser là-dessus.

Ce qui est dommage pour l'avenir, c'est que l'esprit communautaire a disparu. Je n'ai rien contre la modernité mais il ne faut pas oublier la culture. Nos personnes âgées sont très sensibles à la modernisation, ils la craignent. Il faut laisser un héritage à nos enfants. Les survivants doivent divulguer ces informations et faire connaître leur passé aux enfants. Il faut déterrer la souffrance pour la libérer. Notre langue est imagée, les jeunes vont comprendre ce qui est arrivé. On peut les éduquer et les aider à comprendre les décisions du gouvernement. La Loi sur les Indiens a été faite au détriment des Indiens. Ce n'est pas la Loi des Indiens, c'est la Loi sur les Indiens. Tout comme la Loi sur les pensionnats. La loi est faite pour tout le monde mais elle est difficilement applicable dans son entier. Il y aura toujours quelqu'un pour essayer de la détourner à son avantage. Plus tard, quand tous connaîtront notre histoire, peut-être arrivera-t-on à faire modifier cette Loi et à sensibiliser les gens. Je me questionnais à savoir pourquoi ce sont toujours les mauvais côtés qui dominent. Un jour, une personne âgée m'a répondu : « C'est parce qu'on l'accepte. » À partir du jour où l'on n'acceptera plus de n'entendre que les mauvais côtés de l'histoire, on pourra alors entrevoir les bons.

Si on envisage la réconciliation, avec qui doit-on d'abord se réconcilier ? Moi, je réponds que c'est avec soi-même. Tout part de soi. Il faudrait, bien entendu, définir le mot réconciliation. Il y a des souffrances terribles dans chaque famille. Chacun de nous doit prendre les moyens à sa portée pour atténuer la souffrance et la violence. Tous doivent franchir ce pas. À long terme, la violence diminuera. Il faut en parler pour que cela change. Quand on regarde ce qui se passe dans les communautés autochtones, on y voit beaucoup de violence. Nos hommes sont violents envers les femmes et les enfants. La violence psychologique et la violence verbale font aussi partie du quotidien de nos hommes et de nos femmes.

Les gens craignent les mots des autres langues. Notre langue est très imagée, elle est très différente. Si on leur parle de changement, les gens se demandent ce qui les attend. Amélioration, le mot est déjà plus positif. Dans notre langue, on n'a qu'un seul mot pour dire cela. Si on l'utilisait, tout le monde comprendrait. Nos gens sauraient comment réagir à ces mots qui leur appartiennent.

Ceux qui possèdent la sagesse et ceux qui détiennent le pouvoir doivent transmettre l'information. Ici, près de la moitié de la communauté a moins de 18 ans. On doit les renseigner. Des programmes existent pour les jeunes et pour les personnes âgées, mais on oublie souvent que ceux de ma génération pourraient communiquer l'information. Il y a un fossé, un abîme entre les générations. On dit aux jeunes qu'il faut préserver notre langue mais on utilise la langue française pour leur dire. Pourquoi ne pas nous parler dans notre langue ? Moi, j'ai essayé à travers mes expériences dans la communauté et ça fonctionne. Nul besoin de s'apitoyer sur notre sort en demandant argent et subventions au gouvernement. Il faut se mobiliser et dire ce que l'on veut. L'argent viendra par la suite. L'argent, c'est le pouvoir. Malheureusement, il n'y a rien de tel pour diviser une communauté, une famille et des individus. L'argent est plus fort que tout, plus fort même que notre propre culture.

« Aujourd'hui, je me sens une grand-mère compréhensive.
Une bonne grand-mère qui a vécu bien des choses mais qui a su
oublier, pardonner. »

Juliette

Mon nom est Juliette. Quand je suis entrée au pensionnat de Saint-Marc-de-Figuery, j'avais sept ans. Cela a été une catastrophe pour moi. On m'a arrachée à mes parents et je ne savais même pas où on m'emmenait.

Nous sommes cinq filles et deux frères qui sont allés à Saint-Marc-de-Figuery sur dix enfants. J'avais ma petite soeur Margot avec moi. On est parties en autobus ou en taxi, je ne m'en rappelle pas. C'est tellement loin. Je ne me souviens pas de la manière dont je suis arrivée mais ce que j'ai vécu là-bas, je m'en souviens très bien. C'est comme si j'avais vécu cela il n'y a pas longtemps. Ce genre de choses nous marque et on ne peut pas l'oublier. Quand je suis arrivée, j'étais toute perdue. Je ne parlais pas français, je parlais juste indien. Là, en arrivant, tu sais une petite fille, ça a les cheveux longs, alors ils nous ont coupé les cheveux en nous disant que les Indiens avaient des poux. Ce n'était pas vrai. J'essayais de communiquer avec les Soeurs pour me faire comprendre mais je n'étais pas capable. Je parlais en indien seulement.

Quand j'étais là, je me sentais bafouée en tant que personne, en tant qu'être humain. Ils nous disaient : « Toi, si tu parles ta langue, je te mets en punition. Toi, tu es obligée de manger ton plat. Même si tu n'aimes pas ça, tu le manges. » Je recevais des coups. On m'envoyait me coucher sans souper ou je passais la nuit en punition dans un coin noir.

Quand j'étais là-bas, je pensais à mes parents. Je m'ennuyais et même, pendant les cours, je pleurais. Je pensais tout le temps à eux. Parfois, ils venaient nous voir. Quand on savait qu'ils venaient, on était tellement heureuses. Une chance qu'ils venaient nous voir, car je ne sais pas ce qui serait arrivé de moi. Je suis allée à l'école pendant sept ans là-bas et j'ai trouvé cela très dur, très dur. J'ai appris à être ordonnée, car on marchait comme des soldats. On apprenait à faire nos lits. On avait des numéros; moi, j'avais le numéro quatre-vingt-sept.

Je ne peux pas dire que j'ai eu une enfance heureuse. Premièrement, je me suis sentie abandonnée par mes parents. Maintenant, je pense qu'ils étaient dans l'obligation de nous envoyer au pensionnat. Sans ça, c'était les services sociaux qui nous ramassaient. C'est vrai ce que je dis là. Je l'ai lu aussi. Avec mes parents, mes frères, mes soeurs, j'aurais eu une enfance heureuse. On se voyait durant l'été. Au mois de juin, on retournait à la maison. On était contents. À un moment donné, ils nous laissaient sortir à Noël, au Jour de l'An et à Pâques. On était contents de voir nos parents. Même s'ils nous avaient laissés partir, on avait besoin d'eux autres. On était très respectueux envers nos parents. L'été, c'était le bonheur total mais aussitôt qu'on savait que l'automne approchait, on commençait à pleurer. Je ne voulais pas y aller mais nos parents ne nous comprenaient pas. Selon eux autres, une religieuse ou un prêtre, ça ne pouvait pas faire de mal.

Mais je ne peux pas dire non plus que j'ai eu juste des moments durs. J'ai eu aussi des bons moments. Les Soeurs n'étaient pas toutes méchantes. Et mes soeurs étaient là aussi. Et j'avais des amis. On avait des bons moments ensemble. À Noël, on chantait pendant la messe de Minuit et puis, on faisait des «séances», des petites pièces de théâtre. J'ai bien aimé ces moments-là. C'est sûr que la nourriture n'était pas toujours bonne mais il y avait des mets qui étaient bons. Comme le blanc-manger, j'aimais cela et les sandwiches au beurre de peanuts, avec du chocolat chaud. Tu vois comme on peut se souvenir de choses particulières.

Quand je suis partie du pensionnat, je devais avoir treize ans. Je sais que j'y suis allée pendant sept ans. Pendant toutes ces années, on m'a appris à baisser la tête. Ici, en ville, c'était des Blancs et nous autres, on était des Indiens. Il y avait de la ségrégation raciale envers les Indiens. Ils nous traitaient de sauvagesses, on n'était pas pareilles. Je leur ai appris à me respecter mais il y a des blessures qui sont restées en moi. Tout ce qu'on nous a dit de négatif sur nous à Saint-Marc-de-Figuery, c'est un bagage qu'on a rapporté avec nous. Et, aussitôt qu'on me disait quelque chose, je fondais.

Quand j'ai commencé avec le groupe de soutien, j'y suis allée deux fois. Je n'ai pas pu terminer les sessions. Mais j'en ai suivi une bonne partie et cela m'a aidée. C'est à Attitude que je me suis dit : « Julie, tu es capable de t'exprimer, tu es quelqu'un de bien. ». Moi, avant cela, je n'étais pas capable de parler devant le monde. Et c'est là que j'ai appris à me faire confiance à moi. Avant cela, tu ne pouvais rien tirer de moi, même si tu me posais des questions. Aujourd'hui, je suis bien et je suis capable de m'exprimer. Je n'ai pas honte de moi.

Quand je suis avec mes petits-enfants, mes enfants, mon mari, mes soeurs et mes frères et qu'on jase, ce sont mes moments heureux. J'ai perdu un fils en 95. Il était malade du coeur et il est mort du jour au lendemain, sans avertissement. J'ai vécu ce deuil. J'ai eu beaucoup de misère à m'en sortir. Cela m'a pris deux ans pour recommencer à vivre et pour pouvoir parler de lui sans pleurer. Je pense à lui tout le temps. Cela fait treize ans qu'il est parti, le 28 février. Les mois de février, je les trouve durs. Je suis allée chercher l'aide dont j'avais besoin chez un psychologue. J'ai aussi un autre garçon et deux filles. Et six petits-enfants. J'ai eu beaucoup de problèmes de consommation mais je ne savais pas pourquoi je consommais tant. Aujourd'hui, je suis bien parce que je ne consomme pas. On peut prendre un bon verre de vin mais ne plus jamais perdre le contrôle de sa vie.

Ce qu'on a vécu à Saint-Marc-de-Figuery, on l'a gardé longtemps en dedans de nous autres. On ne voulait pas en parler, car on en avait honte. J'ai eu une enfance malheureuse, car je n'avais pas mes parents. J'ai été bafouée, humiliée et battue. J'ai vécu de la brutalité et autre chose aussi. Quand je suis allée avec le groupe, cela m'a beaucoup aidée. Quand on est en groupe, on peut parler de n'importe quoi. Il n'y a plus de honte. Le processus de guérison, c'est d'abord d'en parler. On avait peur d'en parler, on aurait aimé pouvoir en parler à nos parents. Le meilleur moyen d'oublier tout cela, c'est encore d'en parler à une personne fiable. Ce qui m'a complètement ouvert à moi-même, c'est quand je suis allée à Attitude. Cela dure cinq jours, dans le silence. On ne se voit pas entre nous. J'ai même parlé du pensionnat là-bas. Ils m'ont demandé d'écrire une lettre sur ce que j'avais vécu à Saint-Marc-de-Figuery et, dans la lettre, je ne les ai pas manqués. Cela sortait et me faisait du bien. Cela m'a amenée à comprendre. Quelque chose a changé; avant cela, je leur en voulais tellement et aujourd'hui, ce n'est plus le cas. Je me dis que c'était eux autres qui étaient les pires là-dedans, pas moi. Je leur en veux, et c'est normal, mais pas de là à les haïr pour le reste de mes jours. J'ai mon monde en moi et il n'y a plus de méchanceté dedans.

Il faut parler, s'ouvrir. Je ne savais pas que j'étais si pleine de rancune, de ressentiment. Quand je suis sortie d'Attitude, je planais, je me sentais légère, je ne voulais pas revenir. Et cela me revient moins souvent aujourd'hui. Je n'en parle pas avec mes enfants. Mes filles sont venues quand je suis allée en audience. Avant, elles ne savaient pas ce que j'avais vécu. Et nous n'en parlons pas. Elles ne me posent pas de questions. Tous mes enfants sont au courant mais ne me posent jamais de questions. Je dois repasser bientôt en audience et je vais inviter mes filles à venir avec moi.

J'ai vécu le pensionnat et quand j'en suis sortie, je me suis dit : « Jamais mes enfants ne vont aller là. Jamais, au grand jamais, je n'enverrai mes enfants dans un pensionnat. » Aujourd'hui, je me sens une grand-mère compréhensive. Une bonne grand-mère qui a vécu bien des choses mais qui a su oublier, pardonner. Le message que j'aimerais dire à mes petits-enfants, ce serait : « Grand-maman a vécu des affaires qui n'ont pas toujours été drôles. Aujourd'hui, vous êtes bien. Vous êtes bien entourés, bien encadrés. Vous allez à l'école, vous avez du pain sur la table et des vêtements. Profitez-en au maximum. Apprenez à vivre votre vie au jour le jour. »

Il a fallu inventer comment apprendre aux enfants à faire confiance à des adultes avec l'expérience que nous avons eue. Nous leur disions : « Ne parlez pas aux inconnus ! », « N'allez pas avec les inconnus », « Faites attention à vous autres, il n'y a pas juste du bon monde », « Ne restez pas dans un endroit où ça boit », « Venez chez nous, grand-maman est toujours là ! » Je leur lance des messages. Il ne faut pas laisser les jeunes traîner. Il faut bien leur donner le message pour que le message soit bien reçu. Il faut être vigilant.

« Elles doivent se reconstruire et elles prennent toutes sortes d'outils pour éliminer la colère et la défaite des petites filles maintenant qu'elles sont devenues des femmes. »

Lisette
Pensionnat de Saint-Marc-de-Figuery

Si on parle de l'enfance, oui, je l'ai vécue un peu. Je suis allée au pensionnat lorsque j'avais onze ans.

Avant, cela n'existait pas ici, Pikogan. Ce village n'existait pas. Ma famille habitait ici. Il y avait une seule maison, et c'était la maison familiale. C'est mes parents qui m'ont élevée, dans le bois. J'ai connu l'enfance et j'ai connu la joie de vivre avec mes parents. Alors à onze ans, quand je suis partie pour le pensionnat, ça a été un déchirement total. On partait à l'automne et on ne revenait qu'au mois de juin. C'est terrible l'impact que cela a eu dans ma vie. Tout ce que je connaissais m'a été coupé du jour au lendemain, mes joies d'enfance et notre langue. On n'avait pas le droit de parler notre langue, c'était très difficile.

Nous étions cinq filles et deux garçons de la même famille qui sommes allés au pensionnat. Si on parle de nos âges, on se suit tous.

Quand tu es agressée, quand tu essaies de faire ta place ensuite, de faire ta vie, tu transmets cela. De l'agressivité, j'en ai eu beaucoup. Les Soeurs nous tiraient les oreilles, les cheveux. On se faisait mettre à genoux et on nous disait que nos parents étaient des sales, qu'on avait des poux. Je trouvais cela très difficile mais je me suis quand même adaptée. J'ai appris des choses. J'ai appris de bonnes choses aussi, je peux écrire et communiquer. C'est l'éducation. Je suis heureuse d'avoir reçu de l'éducation même si à travers tout cela, c'était tout croche.

Je suis allée au pensionnat jusqu'à l'âge de quinze ans. Ça a été ma dernière année. Je n'aimais pas ce qui se passait là-bas. J'ai vu tellement de choses, j'ai entendu tellement de choses. Je ne voulais plus rester là. Tu comprends ce qui se passe, tu es consciente de ce qui se passe mais tu te sens impuissante.

Quand je suis sortie du pensionnat, j'étais comme gelée, endormie, avec tout ce qui était en moi. Je n'en parlais même pas. J'ai été battue à coups de poing mais je n'ai pas été agressée sexuellement. Un prêtre voulait nous toucher lorsqu'on allait au confessionnal. Moi, je sortais de là en colère et je lui disais : « Non, tu ne me toucheras pas. » Et personne ne m'a touchée.

Autour de moi, j'avais mes amis et j'avais mes soeurs mais j'avais toujours peur de ce qui allait se passer. J'avais beaucoup d'inquiétudes à cause de ce que j'entendais, de ce qui pouvait être en train de se passer. On entendait des bruits étranges la nuit. Il y avait cinq dortoirs. Mes copines et moi, on ne parlait pas de ce que l'on entendait ni de ce que l'on voyait. On avait trop peur, on sautait des étapes.

Moi, c'est ma colère qui m'a protégée. Toutes celles qui ont été agressées ont mis beaucoup de temps à se reconstruire. Elles doivent se reconstruire et elles prennent toutes sortes d'outils pour éliminer la colère et la défaite des petites filles maintenant qu'elles sont devenues des femmes. J'en connais qui, encore aujourd'hui, me disent à quel point dans ce temps-là c'était épouvantable. Juste se faire frapper physiquement, c'était épouvantable. Moi, je me sauvais, c'était une question de survie. Il fallait se sauver mais ils nous rattrapaient.

En plus, nos parents ne nous croyaient pas. Mais moi, je ne peux pas mettre cela sur le dos de mes parents. Ils ne pouvaient pas s'imaginer que cela pouvait être la réalité. Je me souviens que je faisais de grosses crises pour ne pas retourner au pensionnat. Je pleurais, je faisais tous les temps mais eux, ils avaient raison sur moi. J'étais encore mineure.

En espérant guérir, j'ai laissé cela dormir longtemps. Et quand j'ai commencé à devoir m'en occuper, il y avait déjà beaucoup de problèmes au village. La boisson, la drogue. Moi, je me disais : « Voyons, il se passe quelque chose ». On parlait entre nous et les gens se racontaient de plus en plus. J'entendais, j'écoutais. Moi, ce qui m'a décidée, c'est quand j'ai commencé à avoir mes petits-enfants. C'est là que je me suis dit : « Il faut commencer par soi-même pour pouvoir transmettre les belles choses de la vie ». Je m'en souviendrai toujours. Entre temps, tout ce qu'on fait nous rend la vie difficile. Je buvais. Un jour, j'ai dû me dire : « Hé ! Qu'est-ce qui se passe avec moi ? » Je voulais apprendre à mes enfants, leur transmettre notre identité. Mais j'ai compris qu'il fallait que je me soigne avant. Pour pouvoir leur transmettre le beau et le bon, je devais faire le ménage en dedans de moi. Cela venait de si loin. Je sais que l'agressivité que j'avais en moi avait été mon seul moyen de défense à ce moment-là.

Je n'ai jamais parlé du pensionnat à mes enfants. Ils croyaient que c'était correct, car je n'en parlais pas. Et malgré tout cela, je leur ai quand même transmis de belles valeurs. Ils sont travaillants. Je ne voulais pas que mes petits-enfants me voient prendre de la boisson de façon exagérée. Je voulais leur apprendre la modération en tout. Tout le monde ne vit pas la même chose et chacun regarde différemment.

Une chance qu'il y a eu des gens qui se sont occupés de nous. On a eu une belle complicité avec ceux qui nous ont entourés pour la guérison. C'était bien de pouvoir parler, de partager enfin ce qui nous était arrivé. Enfin, on pouvait se libérer de notre carapace et de tout ce pour quoi on a fait semblant pendant si longtemps qu'il ne s'était rien passé. Je suis tellement emballée maintenant.

J'ai même fait des retraites à Saint-Jérôme. C'était valorisant. C'est un prêtre, un Oblat, qui nous a enseigné et c'était vraiment bien. C'est à partir de là que j'ai compris que tous les religieux n'étaient pas nécessairement pareils. Ce prêtre-là admettait ce qui était arrivé aux pensionnats. Il nous parlait de Dieu et du Pardon. Cela m'a réconciliée un peu avec ce qui me dérangeait beaucoup. Je suis une personne spirituelle. Je vais à l'église pour moi, pour me recueillir, pour prendre du recul et un temps pour la réflexion. Je n'y vais pas pour les prêtres qui nous ont tellement fait du mal.

Autant on pensait que c'était notre faute ce qui nous est arrivé, autant je comprends aujourd'hui qu'on doit faire quelque chose pour soi. Pas pour les autres mais pour soi. Moi, j'ai l'impression qu'on vivait beaucoup pour les autres, car c'est comme cela qu'à travers la religion catholique, on avait appris. Ceux qui nous ont aidés, nous ont fait comprendre qu'on n'a pas à se sentir mal, car c'est bien de penser à soi. Je suis dans la voie de la guérison. Je vous le dis très sincèrement et aujourd'hui, je veux juste porter des choses positives.

Les plus beaux moments aujourd'hui, c'est la guérison et le fait d'être capable de guérir et d'accepter les autres tels qu'ils sont, sans porter de jugement. Cela permet de réussir, d'aimer son voisin, d'apprécier les gens et les bons moments. Parce que je me suis prise en main.

Mes enfants voient le chemin que j'ai parcouru. Je n'étais pas facile avec mes enfants. J'ai été contrôlée alors je voulais tout contrôler. Je suis contente aujourd'hui, car je peux communiquer avec eux, voir à leur bien-être sans toujours être en train de me battre, de me défendre de quelque chose. Merci à ceux qui m'écoutent. J'ai laissé tomber les armes mais j'ai encore le désir de continuer, de transmettre et d'enseigner les bonnes valeurs à mes enfants. C'est important.

Aujourd'hui, pour nous tous, ceux des Premières Nations, je souhaite qu'on vive dans l'harmonie. Que chacun fasse sa part pour qu'on soit en harmonie avec ce que nous avons ici, notre langue, notre culture, nos petits-enfants. Ils sont très importants nos petits-enfants. Nous devons bien les diriger. Ça prend du temps pour rebâtir ce qui a été détruit. Cela a été tout un déchirement. Mais là, on est rendus là.

Quand j'étais plus jeune, je ne voulais pas que l'on sache que j'étais Indienne. J'avais honte. C'était enregistré, écrit sur moi. À quinze ans, je n'avais plus ce problème-là. Je ne parlais plus du pensionnat et je me suis rapidement intégrée au mode de vie des Blancs. Après mon mariage, j'ai retrouvé ma fierté et je n'avais pas honte de dire que j'étais une Amérindienne. J'ai pu démontrer que j'étais quelqu'un de bien, que nous étions quelqu'un de bien. Je suis une personne qui veut toujours avoir quelque chose de bien et je vais me battre pour ce que je veux avoir. Mais je ne me bats plus en agressant les autres. Je dois travailler pour l'obtenir et écouter les autres aussi pour y arriver encore mieux.

L'espoir, c'est lorsqu'on comprend qu'il y a une façon de se guérir. Il faut aller chercher de l'aide, des outils et travailler à sa croissance personnelle. Il y a beaucoup de personnes-ressources ici. Il faut persévérer, ne pas se décourager, regarder à l'intérieur de nous et accepter que nous sommes des bonnes personnes. Il faut se prendre en main et prendre conscience que notre vie nous appartient. C'est à nous de nous offrir une belle vie, un bel avenir pour nous et nos enfants.

Un jour, j'écoutais une émission de télévision avec Dolly Dimitrio. On y avait parlé de la maison Attitude. Plusieurs personnes y étaient allées et je me disais que cela serait bon pour moi. J'avais déjà pensé à des ateliers de croissance personnelle. Cela aide à se poser les bonnes questions sur ce qui se passe à l'intérieur de nous. En moi, comme je vous l'ai dit, cela a dormi longtemps mais, lorsque je l'ai réveillé, ça n'en finissait plus. Plus j'avançais, plus j'avais besoin d'aide pour guérir. La psychologue comprenait ce qui nous arrivait.

Il y a tellement de blessures dans cette communauté. Souvent, j'ai entendu des gens dire : « Pourquoi est-ce que mon père boit ? » C'est une transmission cela. Les jeunes se questionnent et on les écoute. S'ils veulent apprendre, ils doivent venir aux ateliers et écouter, eux aussi, ceux qui cherchent la guérison. Si tu veux vraiment guérir, tu dois comprendre. Ils doivent entendre la souffrance et aider ceux qui sont en souffrance. Moi, je m'isolais. Je ne voulais pas que les autres sachent mais aujourd'hui, je suis contente lorsque les autres viennent me voir, car cela m'aide et les aide aussi. C'est cela l'histoire que je voulais vous raconter. Il faut transmettre à nos enfants ce que nous sommes et être fiers de ce que nous sommes.

Une enfance heureuse ? C'est avoir l'encadrement de bons parents pour aller à l'école, pour voir à notre éducation et pour participer avec nous aux activités qui nous intéressent comme les sports. C'est ce que je fais. Depuis qu'il a quatre ans, mon petit-fils joue au hockey et, depuis ce temps-là, je le suis. Aujourd'hui, il est dans le « midget espoir ». Mon mari et moi, on se levait le matin et on allait le reconduire. Je dis souvent à mes enfants à quel point c'est important. Il faut s'impliquer auprès de nos enfants. C'est important de participer à l'épanouissement de nos enfants et de les entourer d'amour. L'essentiel, c'est le toit, la nourriture et l'amour.

Photo : Istock

« Moi, ce que je souhaitais, c'est ce que nous sommes en train de faire ensemble aujourd'hui : pas de se plaindre mais de faire comprendre qu'on a manqué des choses essentielles, qu'on a vécu des choses difficiles. »

Marguerite

Je porte les deux noms et je suis une Atikamekw de Wemotaci. J'ai senti que je devais changer quelque chose dans ma vie quand j'ai commencé à consommer. J'avais déjà deux enfants quand je me suis séparée. Et c'est là que j'ai commencé à consommer. Quelques années plus tard, j'ai compris que je devais arrêter. J'ai vu que je faisais du mal à mes enfants. J'étais là mais j'étais absente. Mon mari était là mais nos enfants étaient seuls. Pourtant, moi, je n'ai pas eu de vie de famille et je privais quand même mes enfants de notre présence. J'ai regardé en moi, je me suis questionnée et j'ai compris que ce n'était pas nécessaire dans la vie des enfants de voir leurs parents consommer.

D'autres personnes qui vivaient la même chose que moi avaient commencé à s'ouvrir et c'est là que j'ai parlé de l'expérience des pensionnats pour la première fois. Moi, c'était au niveau culturel que j'avais le plus perdu. Je refusais d'aller en forêt avec ceux qui étaient à ma charge. Je dédaignais de coucher par terre. Aujourd'hui, avec mon mari, on est allés vers la nature, à la pêche, en campement, faire en fait ce que nos parents vivaient dans le temps. C'est à partir des histoires racontées par mon oncle qu'on a développé le désir de faire comme eux. Il nous racontait comment ils vivaient dans le temps. Ils étaient nomades. En route, ils rencontraient d'autres communautés au hasard et ils campaient ensemble. J'ai commencé à aller dans le bois avec les enfants pendant la semaine culturelle inscrite au calendrier scolaire et nous vivions comme nos ancêtres vivaient.

Un temps, j'étais gênée d'être Autochtone. Au pensionnat, on nous disait pouilleuses, paresseuses, alcooliques. Je voulais prouver que je n'étais pas comme cela. J'ai repris confiance en moi quand on a construit l'école dans notre communauté et que des professeurs blancs sont venus. Je les ai appréciés. J'étais à l'aise avec eux. Nous sortions ensemble, nous allions pique-niquer. Ils nous appréciaient et c'est comme cela que je suis sortie de ma gêne.

Maintenant, je suis à l'aise quand je vais en ville. Je dis bonjour à ceux que je ne connais pas. C'est comme cela qu'on va se créer des liens avec les autres. Je vais vers eux, je veux qu'on reconnaisse que nous ne sommes pas des sauvages.

Ma plus grande fierté, c'est d'avoir fait connaître ma culture jusqu'en Europe. On me déléguait pour aller parler de mon village, de ma langue, de ma culture et de notre artisanat. Je suis devenue très fière de moi. Les Français apprécient beaucoup le travail des Amérindiens. J'aimais aller parler de ma Nation sur les autres continents. Aujourd'hui, on nous invite de plus en plus. Avant, on nous oubliait. Je suis très fière d'être Atikamekw, d'être une Autochtone, d'avoir pu garder ma culture et ma langue et de la parler à la maison avec mes enfants et mes petits-enfants.

Moi, j'ai perdu ma mère quand j'avais deux ans. J'ai été placée dans une famille et la personne qui m'a prise en charge m'a tout montré. C'est pour cela que je sais me débrouiller aujourd'hui. Ces gens-là ont fait toute la différence dans ma vie. Ils m'ont appris le respect, la tolérance. Une fois, ils m'ont dit : « Si tu n'as rien chez vous, juste de la banique et du thé, mets une nappe à terre et offre cela à ceux qui viendront. » Je le répète souvent à mes enfants. Ces gens-là ont été mon père et ma mère. Ils étaient déjà décédés à mon mariage mais ils sont toujours là pour moi.

Quand je suis partie au pensionnat, je devais avoir neuf ans. Mon père s'était remarié et j'avais préféré rester chez mes parents adoptifs. Je faisais des convulsions mais ils m'ont gardée. Après, je suis allée au pensionnat, cinq ans en Abitibi et un an à Pointe-Bleue. Une enfance heureuse ? J'ai eu une enfance heureuse malgré le fait que j'étais orpheline. J'ai vécu la coupure des liens à cause du pensionnat mais j'ai appris beaucoup là-bas aussi, le tricot, la couture, la cuisine, l'essentiel pour pouvoir se débrouiller plutôt que d'aller magasiner.

Quand je voyais des choses qui arrivaient à nos enfants, cela me rappelait ce qui était arrivé au pensionnat. Et c'est là que j'ai commencé à avoir besoin de parler. J'ai subi de la violence de la part des professeurs, j'ai été frappée. Je n'en avais jamais parlé, je ne savais pas à qui en parler. Et les personnes à qui j'en parlais changeaient de conversation. J'avais tout refoulé. J'aurais dû me prendre en main plus tôt, car il y a encore des moments où cela me hante, me fait mal, me dérange. J'ai perdu pas mal de choses. J'ai perdu mon père et j'aurais pu apprendre tout ce qu'il savait.

Aujourd'hui, je suis heureuse. Nous sommes rendus à la quatrième génération. Je suis heureuse malgré ce qu'on voit dans nos communautés. On essaie de se maintenir en santé entre nous. Mes enfants s'informent de moi et viennent me visiter. Moi aussi, je m'occupe d'eux. Maintenant, toutes les maisons sont pareilles, à l'intérieur et à l'extérieur. On dirait toujours qu'on ne sort jamais de chez nous. On devrait planter des arbres, décorer différemment nos maisons, s'éloigner un peu les uns des autres. La violence des autres nous atteindrait moins.

Je dis aux jeunes d'aujourd'hui de ne pas abandonner. Il y a toujours quelqu'un qui a une solution et ce n'est pas nécessairement quelqu'un de la famille. Il y a des gens de confiance qui vont nous accueillir à bras ouverts. Il suffit d'aller les voir. C'est ce que j'ai fait quand j'ai eu mal. Il y a toujours de bonnes personnes qui vont écouter, qui sont toujours prêtes à comprendre, à consoler. On n'est jamais seul.

Ça ne fait pas longtemps que je suis allée dans la spiritualité autochtone, car j'ai été élevée dans la foi chrétienne et j'étais bien là. J'avais appris qu'il y avait des rencontres organisées pour se rapprocher de la nature. J'y suis allée et j'y ai pris ce qui était bon pour moi. Un jour, on m'a demandé si je voulais purifier une maison qui devait servir aux rencontres. Je suis allée demander la permission. On m'a répondu : « Vas-y. S'ils te l'ont demandé, c'est qu'ils ont confiance en toi. Fais-le. » J'ai purifié la maison avec une plume et de la sauge. J'ai aussi purifié un tambour. Il ne faut surtout pas laisser partir nos aînés sans tout apprendre d'eux. Lors d'une rencontre, ils m'ont fait remarquer qu'il y avait de plus en plus de poussettes. « On ne voit plus le kinwagen, le porte-bébé. Pourquoi ne prends-tu pas ce rôle de transmettre ce savoir, cette tradition ? » Et je le fais.

Je suis toujours très proche de mes enfants, toujours disponible. Tant que je pourrai faire quelque chose pour eux, dans leur vie, je le ferai. J'ai aimé avoir des enfants. J'aime les enfants. J'accepte les enfants en placement mais, aujourd'hui, ils me disent que j'ai pris de l'âge et que je dois laisser les parents s'en occuper. Je trouve cela long, seule à la maison. Mes enfants travaillent et les petits vont à l'école.

Cela ne fait pas longtemps que j'ai commencé à participer aux activités qui sont liées aux pensionnats, aux partages. Cela m'a aidée. Certains sont très forts, ils s'en sont sortis. Je me suis dit que, moi aussi, j'étais capable de me sortir des manquements qu'il y a eu au pensionnat. Moi, ce que je souhaitais, c'est ce que nous sommes en train de faire ensemble aujourd'hui, pas de se plaindre mais de faire comprendre qu'on a manqué des choses essentielles, qu'on a vécu des choses difficiles.

On est sortis de là un peu maganés. Il y en a qui n'ont pas été capables de se remettre de cela et qui ne sont pas là aujourd'hui pour nous parler de ce qu'ils ont vécu. C'est ce que j'aimerais c'est qu'on s'entraide entre survivants, entre nous et qu'on devienne forts.

Mon mari et moi, on est allés voir ce qui restait du pensionnat de Saint-Marc-de-Figuery, de notre propre initiative, sans rien demander à personne. Cela aussi nous a aidés. On est allés du côté de l'église, là où on allait se recueillir. Je ne savais pas que c'était détruit. Si je revoyais les religieux aujourd'hui, peut-être que j'attendrais qu'ils viennent à moi et que je verrais ce que voyait alors la petite Marguerite qui attendait qu'on la prenne dans ses bras. Ils ne nous ont jamais pris dans leurs bras. J'aimerais savoir ce qu'ils ont à nous dire. Il y avait une religieuse qui aidait à préparer les célébrations pour la communauté et, elle, je l'ai aimée. Je l'appelais ma Soeur très proche. Elle est à la retraite maintenant, à la maison-mère de Val d'Or. Il y a des bonnes religieuses, je ne les ai pas toutes mises dans le même panier.

Lorsque je me suis prise en main, j'ai eu besoin d'aide. J'ai été obligée d'y retourner deux fois, car je suis retombée. Après cela, j'ai réfléchi. Je me suis dit que je savais comment faire mais que j'avais perdu mes outils. Je suis retournée dans une maison de thérapie pour les Autochtones. C'était comme une famille venue pour moi. Quelques jours avant, j'avais ramassé une poupée abandonnée dans la rue par les chiens. Je me suis souvenue que, moi aussi, j'avais été ramassée. Je l'ai lavée, séchée. Je partais le lendemain en thérapie. J'ai habillé la poupée et je l'ai déposée sur mon lit. Avant de partir, je lui ai dit de m'attendre, que je reviendrais. Je lui parlais comme si elle était la petite Marguerite. C'est cette poupée que l'intervenante m'a présentée en thérapie. C'était mon souhait quand j'étais petite, que quelqu'un me prenne dans ses bras. Et je lui parlais et je la berçais et je l'aimais. Avant cela, je n'aimais pas Marguerite. Je ne l'aimais pas en tant que mère ni en tant qu'épouse. Aujourd'hui, je m'apprécie comme femme, comme mère et comme grand-mère. Ici, dans la communauté, on me demande de l'aide et cela me donne des forces. Je veux être un modèle pour les autres, je veux être une bonne personne.

Au pensionnat, on ne pouvait pas posséder de jouets à nous. J'ai reçu ma première poupée à cinquante ans. Ma mère m'a offert ma première poupée à cinquante ans.

Photo : Patrice Gosselin

« C'était une blessure fermée, elle dormait à poings fermés. Je me suis dit, je vais l'ouvrir, je vais en parler et je vais sortir cette blessure ancrée en moi. Quand j'ai fait mon témoignage, cela a été très dur, d'une grande souffrance. Mais c'est là que la guérison a commencé. »

Marguerite

Mon nom est Marguerite. Je viens de la communauté de Pikogan. Je suis Algonquine. J'ai fréquenté le pensionnat indien de Saint-Marc-de-Figuery à partir de 1957. J'avais sept ans quand j'ai commencé à fréquenter l'école. Quand j'y suis entrée, je crois que j'étais la cinquième de la famille à aller au pensionnat. Je n'avais aucune connaissance du pensionnat. Mes sœurs ne m'en parlaient pas. Donc je suis partie de ma famille vers l'inconnu pour moi. J'étais contente de partir moi aussi. Je ne parlais pas un mot de français, je ne parlais que ma langue algonquine.

Quand je suis arrivée là-bas, ça a été comme un coup de masse. J'étais complètement isolée, perdue dans mon environnement. Je ne retrouvais plus mes sœurs. Nous étions dans la même bâtisse, pourtant je n'avais aucun contact avec elles. Quand on arrivait, on nous imposait d'autres vêtements et on nous coupait les cheveux. C'est ça je crois qui m'a le plus effrayée. J'avais les cheveux longs, tressés. Quand on m'a coupé les cheveux, la coupe au carré, cela a été comme une coupure radicale pour moi. Comme si je perdais ma nation, mon identité. Même le son du rasoir était effrayant.

J'étais le numéro cent seize. Je me cherchais, j'étais perdue comme si on m'avait mise dans un sac à poubelle noir et scellé. Tout était noir, complètement noir pour moi. Et je me demandais si j'étais la seule à ressentir cela, à être dans cet état d'âme-là. Quand tu perds tout, tu deviens rien. Plus rien n'est pareil. Je cherchais mes sœurs dans ma langue et on nous défendait de parler notre langue. Ils ne comprenaient pas notre langue alors ils nous interdisaient de la parler. Puis, petit à petit, ça a été comme un éveil. On se mettait en rangées, en rang d'oignons et on devait écouter les consignes. Les premières semaines dans la classe, on se reconnaissait entre nous, mes cousines et moi, et d'autres avec qui on avait été élevées.

Mais on ne comprenait rien. C'était les religieuses qui nous enseignaient. Une fois, j'avais eu tellement peur. Je me souviens que la religieuse, une petite courte et rondelette, était tellement choquée qu'elle se roulait par terre, rouge de colère, parce qu'on ne comprenait rien. Elle essayait de nous enseigner et on ne comprenait rien. Elle nous montrait des images, des légumes par exemple, et on ne connaissait pas le mot. Petit à petit, on a fini par comprendre la langue.

On communiquait entre nous en cachette dans la cour de récréation. Quand le surveillant s'éloignait, on se dépêchait. C'est dans la cour de récréation aussi qu'on se regroupait : les Atikameks ensemble, les Algonquins ensemble. On ne se mêlait pas aux autres au début. On ne se mêlait pas du tout. Avec les cousins et cousines, on était dans notre monde à nous. C'était le seul moyen que nous avions d'en profiter, de parler notre langue, car dès qu'on était de retour en classe, c'était défendu. Sinon elles faisaient honte à notre culture. C'était cela l'assimilation. On était des enfants, des enfants purs. Pour moi, le péché n'existait pas. Et puis, pour nous dans notre culture, regarder nos parents dans les yeux, c'était une insulte pour eux. Parce que, pour nos parents, le respect était important. Quand notre mère nous parlait, jamais on aurait osé la dévisager. Tandis que les Soeurs nous disaient : « Regarde-moi quand je te parle. » Ce n'était pas dans notre culture. Nous, même si nous étions en train de jouer, on entendait quand même quand quelqu'un nous parlait. L'apprentissage chez les Indiens se fait beaucoup par l'observation. Et le respect. On ne posait pas de question. Comment ? Pourquoi ? Tandis qu'eux autres, il fallait fixer l'enseignante. C'était le contraire. Là, on est habitués mais cela reste dans notre mentalité encore aujourd'hui, dans notre culture. Souvent, lorsqu'on parle avec quelqu'un, on va regarder ailleurs. Nos parents, quand ils nous éduquaient, n'élevaient jamais la voix. Je n'ai jamais entendu ma mère élever la voix. Eux, ils élevaient la voix sans arrêt et cela nous effrayait !

Quand je suis sortie du pensionnat en 1964, on se tenait toujours entre Amérindiens. On n'avait plus aucun contact avec les Blancs. La dernière année du pensionnat, je ne voulais plus y retourner. On disait à nos parents ce qui se passait là-bas mais ils ne nous croyaient pas. Alors, moi, j'ai dit à ma mère : « Je ne veux plus y retourner. ». Quand le temps est venu de repartir, ma soeur et moi on s'est sauvées dans le bois pendant toute une journée. Je devais avoir douze ou treize ans. Ensuite, on est allées dans une autre école avec les Allochtones. Là, on parlait français mais on ne se mêlait pas aux autres. Au début, j'étais gênée mais j'ai su conserver ma langue. Ils nous traitaient de « squaw ». Dans ma classe, j'étais seule et je me tenais à l'écart, car je ne comprenais pas leur culture.

Je suis allée jusqu'au secondaire. Ensuite, j'ai travaillé un peu dans la communauté sur des projets. Je me suis mariée et j'ai eu trois garçons que j'ai élevés durement. C'était comme quand j'étais au pensionnat, j'étais très stricte. Je n'ai jamais parlé du pensionnat à mes enfants ni à mon mari. Mon mari aussi est allé au pensionnat. Il était dans la même classe que moi et on s'était dit tous les deux qu'on ne parlerait pas du pensionnat, qu'on allait enterrer le pensionnat six pieds sous terre. J'ai commencé à en parler avec mes enfants seulement quand mon mari est mort.

Quand j'allais en ville et que je passais par le pensionnat, j'avais toujours quelque chose au coeur. Quand j'ai fait mon témoignage au Point, à Radio Canada, en 2004, j'ai averti mes enfants. Je leur ai permis de l'écouter mais pas chez nous. Cela a été comme de s'ouvrir. C'était une blessure fermée, elle dormait à poings fermés. Je me suis dit, je vais l'ouvrir, je vais en parler et je vais sortir cette blessure ancrée en moi. Quand j'ai fait mon témoignage, cela a été très dur, d'une grande souffrance. Mais c'est là que la guérison a commencé. J'en entendais parler depuis l'an 2000 et je commençais à y penser. On se posait des questions. J'avais besoin de comprendre pourquoi j'étais comme cela, j'avais besoin de le comprendre pour moi et pour mes enfants. Ce qui m'a aidée le plus, c'est d'en parler. Au début, plusieurs personnes de la communauté nous disaient : « Pourquoi en parler ? ». C'était comme un sujet tabou pour nos parents. Parce que cela concernait les curés, c'était un sujet tabou. C'était eux les dirigeants des pensionnats à l'époque. Quand j'ai commencé à m'ouvrir, c'était comme une libération. Surtout quand on a commencé à travailler avec le groupe de guérison.

Il y avait nos parents aussi. Ma mère comprend bien le français. Alors, quand j'ai fait mon témoignage, j'ai appelé ma mère et je lui ai demandé : « Maman, as-tu compris ce que j'ai dit ? » Elle m'a répondu qu'elle avait compris et qu'elle n'avait jamais pensé que c'était comme cela. Cela a fait l'effet d'une bombe. Après, à la demande du Conseil, j'ai fait un témoignage pour la Journée de la femme, au mois de mars. J'ai parlé aux Ainés. Et beaucoup d'Ainés sont venus me voir pour me parler. J'avais peur de les blesser et je leur ai dit de ne pas se sentir coupables. Ce ne sont pas eux les coupables, c'est le gouvernement. Nos parents ne nous ont jamais dit comment ils ont vécu cela se faire enlever leurs enfants et les voir se faire placer dans un pensionnat. Ils n'ont jamais parlé de la peine qu'ils ont eue. Là, on commence à parler de cela. On a réalisé des mises en situation avec des psychologues. Je pense qu'il faut faire notre chemin et tâcher de se sentir bien. On a eu des blessures, il faut savoir pardonner. Il faut savoir avancer dans notre vie.

Moi, d'abord, je m'étais dit que j'allais faire quelque chose de moi dans la vie. Je me suis dirigée vers l'enseignement. J'ai fait mon certificat, puis mon baccalauréat. Je peux dire que j'ai réussi et j'en suis contente. J'ai enseigné dans ma communauté pendant vingt-huit ans, toujours au primaire. Ensuite, j'ai enseigné la Langue et Culture, en trois volets : la pédagogie, l'artisanat et les mets traditionnels. J'aime cela. D'ailleurs, je continue. Je base mon enseignement sur le rythme de l'enfant. Je suis à l'écoute des enfants amérindiens, sans les brimer. Cela m'aide.

Nos Aînés aussi nous apprennent beaucoup. Ma mère m'a enseigné à écrire, à conserver notre culture et notre langue. Je crois que les Aînés sont très importants dans notre communauté. Il faut savoir être à leur écoute. Ils ont quelque chose à nous montrer tous les jours. Ils nous transmettent leurs dons, leurs manières d'agir, leur spiritualité. Il faut savoir être à l'écoute de leur enseignement et respecter leur entourage. Il ne reste pas beaucoup d'Aînés dans notre communauté. Ma belle-mère est spécialisée dans les plantes médicinales. Elle en fait toujours avec l'aide de sa fille. Ma mère et ma belle-mère font beaucoup d'artisanat. C'est ma belle-mère qui m'a tout montré, elle est patiente et optimiste. Elle favorise la réussite.

Maintenant, je vais très bien. J'ai fait des thérapies et aujourd'hui, je suis capable d'en parler. Je trouve qu'il y a plus d'espoir. Il y a encore beaucoup de gens qui ne peuvent pas s'ouvrir. Mais dans les autres communautés, on est de plus en plus ouverts envers nous. Il y a même des gens qui viennent nous voir et nous demandent ce que l'on pense du pensionnat, comment on a réussi à s'en sortir et à communiquer. Ils veulent savoir aussi comment a commencé notre groupe de travail. On a commencé simplement, en faisant de petits ateliers.

Depuis quatre ans, on fait des partages avec les quatre générations. Pour les prochaines générations, on doit laisser notre histoire. Tous doivent connaître notre véritable histoire. Nous devons aussi transmettre notre culture, notre savoir et l'histoire de nos Aînés. Il faut être avec les Aînés, c'est primordial pour la conservation de notre langue, de notre culture, de notre religion et le respect de ce que nous sommes. Tout cela, c'est le plus important. Je vis ma spiritualité amérindienne. En me levant chaque matin, je dis merci pour la belle journée. Je dis merci au Créateur de pouvoir apprendre encore aujourd'hui. Je fais des témoignages et des partages, même dans les universités. Ils nous comprennent mieux en s'ouvrant à notre culture et à notre histoire. Ils nous en remercient.

Photo : CSSSPNQL

Recueil d'histoires de vie des survivants des pensionnats indiens du Québec.

Photo : Istock

« J'ai lu dans mes lectures un passage qui disait qu'on ne devient pas vieux parce qu'on a vécu un certain nombre d'années, mais qu'on devient vieux parce qu'on a délaissé son idéal. Moi, mon idéal, c'était de retourner chez nous. »

Richard
Wemotaci

Je m'appelle Richard et je suis originaire de la communauté de Wemotaci J'ai fréquenté deux pensionnats indiens dans ma vie. En 1958 et 1959, je suis parti à Saint-Marc-de-Figuery et en 1960, au mois d'octobre, les jeunes Attikameks, nous sommes partis pour le pensionnat de Pointe-Bleue. J'y suis retourné neuf fois. Je pourrais compter onze ans de vie dans un pensionnat. On est dix-neuf enfants chez nous, je pense qu'on était une des familles les plus nombreuses de la communauté et presque tous sont allés au pensionnat.

La première fois que je me suis rendu compte qu'il y avait un gros changement dans ma vie, le plus gros changement en fait de ma vie, c'est quand j'ai délaissé les territoires où on a vécu. Jusqu'à l'âge de sept ans, j'ai vécu sur le territoire. Mon père faisait la chasse, la trappe, il nous a montré comment vivre de la nature, vivre dans le bois. Au mois de septembre 1958, j'ai pris le train à Parent pour aller au pensionnat. Le changement, je l'ai senti en parcourant la route en chemin de fer et ensuite en autobus. Durant le trajet, j'ai senti grandir la solitude, la tristesse et la vulnérabilité. C'est à ce moment-là que je me suis rendu compte qu'il se passait quelque chose. Pourtant, j'avais hâte d'aller au pensionnat. J'avais déjà une soeur et un frère qui y étaient allés une année ou deux. Quand j'ai débarqué du train à Amos, on a pris l'autobus et je me souviens que j'ai pleuré dans l'autobus. Il y avait un jeune d'Obedjiwan qui devait avoir un an ou deux de plus que moi et qui m'a donné des pièces de monnaie en me disant pour me consoler : « Pleure pas, je te donne des pièces, pleure pas ».

Les autobus se sont arrêtés devant le pensionnat et en débarquant, j'ai compris que le changement serait encore plus grand que tout ce que j'avais jamais pensé. On entrait dans une grande salle et il y avait des casiers sur trois côtés. On nous a donné un casier à chacun et sur chaque casier, il y avait un numéro. Ça, c'était moi, j'étais ce numéro et, à l'avenir, mes bas, mes chemises, mes pantalons seraient marqués par ce numéro. On nous a dit ensuite de mettre nos choses personnelles dans nos casiers. J'étais inquiet, je ne savais pas trop ce qui m'arriverait. Je ne savais pas non plus que je passerais dix mois là. Je pensais que je retournerais chez nous la semaine suivante.

Je n'aimais pas beaucoup la vie en groupe. Il fallait que je suive le groupe et les règlements dans les dortoirs et dans les classes. Je ne connaissais pas ça les règlements, il n'y en avait jamais eu chez nous. Aujourd'hui je sais que c'est essentiel pour l'harmonie et la bonne entente quand on vit en groupe. Mais là-bas, c'était très rigide. Quand, pour la première fois, j'ai vu un grand se faire apostropher assez raide, j'ai commencé à sentir que je devais suivre les règlements pour ne pas recevoir un coup de pied ou me faire tirer les oreilles. J'ai perçu que dès qu'il y avait un manque, les punitions étaient toujours disproportionnées.

Moi, j'aimais l'école, j'étais sage, même sur le territoire. Au pensionnat, tu es loin, dans l'inconnu, avec des étrangers que tu apprends à connaître et qui sont dans le même bateau que toi. Ils deviennent des amis, des compagnons. On se protégeait les uns les autres. La vie sociale existait, on pouvait se prêter des choses personnelles comme des Comiques. J'avais commencé à aimer la lecture. Des livres, j'en ai lu. J'ai commencé par des petits comiques et après, c'est devenu plus sérieux. À Pointe-Bleue, j'ai lu tous les Bob Morane. Mon professeur m'a suggéré autre chose et la lecture est devenue une évasion, une libération. J'ai appris à lire et à écrire. J'oubliais que je n'étais pas heureux au pensionnat.

Je n'ai jamais été heureux au pensionnat. J'avais des troubles d'énurésie, personne ne m'avait expliqué que c'était un trouble autant psychologique que physique. Ils pensaient que j'allais apprendre et comprendre en me donnant des coups de ceinture.

Les deux ans à Amos ont été les pires pour le dépaysement. Ils ne nous apprenaient pas à être fiers de nos origines et de notre Nation. Ils nous apprenaient des choses qui n'avaient aucun lien avec notre façon de vivre, notre façon de penser et notre spiritualité. De toute façon, tout ce que j'ai appris, j'aurais aimé l'apprendre dans d'autres conditions.

À Pointe-Bleue, quand je sortais du pensionnat, tout ce que je voyais, c'était un grand lac : le lac Saint-Jean. J'aurais aimé un lac plus petit avec une cabane. Une maison. Je rêvais de vivre dans un petit monde, de retourner chez moi, de sortir des règlements. À l'automne, c'était très dur mais quand le printemps arrivait, avec l'espoir des vacances d'été, j'étais vivant et j'aimais beaucoup la vie. Je retournais chez moi sur le territoire. Ma famille vivait dans une cabane en bois rond l'hiver mais l'été, on campait sur le bord des lacs et on chassait l'orignal. On pouvait tuer deux orignaux juste pour notre famille et on en donnait aussi. Tout l'été, on vivait ensemble. Mes soeurs restaient avec ma mère au campement. Mon père, mes frères et moi, on partait en canot. On couchait à la belle étoile.

Plus tard dans l'été, on s'en allait camper près de l'Abitibi. Il y avait eu un grand feu de forêt et il poussait beaucoup de bleuets. On allait aux bleuets pendant deux semaines, juste avant de retourner au pensionnat. Quand je me remettais à penser au pensionnat, je stressais et je me sentais mal. Je ne dormais plus, je ne mangeais plus.

Mon père et ma mère ne connaissaient rien des livres que je ramenais de l'école. Je n'ai jamais eu de rêves d'avenir, d'ambitions professionnelles. Je me disais seulement que, quand le pensionnat serait fini, je retournerais chez nous. C'est ce que j'ai fait. Dans de meilleures conditions, j'aurais étudié plus que cela. J'ai lu dans mes lectures un passage qui disait qu'on ne devient pas vieux parce qu'on a vécu un certain nombre d'années, mais qu'on devient vieux parce qu'on a délaissé son idéal. Moi, mon idéal, c'était de retourner chez nous.

Vers la fin des années soixante, je me suis acheté une scie mécanique pour bûcher durant l'été. Un agent des Affaires indiennes nous aidait à acheter une scie. Il fournissait soixante-dix, soixante-quinze dollars sur une scie qui en valait deux cent cinquante et on avait l'été pour payer le reste.

Certaines années, j'étais toujours premier de classe et un jour, j'ai décroché. En 1977, j'y suis retourné mais je me suis sauvé au bout d'une semaine. J'ai voulu voir le principal, mais j'ai rencontré un frère qui ne nous aimait pas. Il m'a demandé si j'avais un coeur parce que je ne m'en servais plus pour étudier. J'ai raconté cela à mon professeur. Je lui ai dit que je n'étais pas bien et que je n'avais jamais été heureux. Il m'a dit : « As-tu de l'argent ? » Je n'avais pas d'argent. Il m'a dit : « Je vais t'en prêter. Ce soir, tu viens souper chez nous. Tu pourras passer la soirée en attendant le train. Ma mère va t'en donner de l'argent aussi. » Et elle m'en a donné. Tout ce qu'elle m'a demandé, c'est de prier pour elle. Je suis allé trouver mon père dans le bois, dans la maison en bois rond, et j'ai passé le reste de l'hiver là. À l'automne suivant, j'ai encore dû retourner au pensionnat.

Mon expérience du pensionnat me revient parfois, par exemple pendant la période de Pâques. Nos parents pouvaient venir mais les miens venaient rarement. Je me souviens qu'une année, la fête de Pâques était passée et un frère nous a rassemblés dans la grande salle où ils nous ont parlé de nos pères et de nos mères d'une façon que je n'ai pas aimée. Ils voulaient qu'on ait honte de nos parents.

Je n'en revenais pas que cela vienne des prêtres, de ceux qui parlaient toujours de charité chrétienne. À l'audience, j'ai des choses à raconter.

Quand le pensionnat a été terminé, j'ai travaillé à Québec et j'ai rencontré ma future, une Québécoise. J'ai eu un garçon qui a trente-quatre ans aujourd'hui. Mon mariage a duré cinq ans. Je ne pouvais pas m'expliquer ce que c'était, mais je traînais toujours quelque chose et je ne savais pas ce que c'était. Un jour, je n'étais plus capable de travailler ni de raconter mon histoire et je me suis mis à pleurer. Le médecin m'a conseillé d'aller voir un psychologue mais je ne voulais pas être enfermé. Alors j'ai traîné ma souffrance et, quand je me suis séparé, tout a dégringolé. Je suis allé m'inscrire à un cours de monteur de lignes et, durant ce cours, j'ai fait une dépression. J'ai bien vu que j'avais accumulé toutes sortes de souffrances, de frustrations, de peurs. J'ai suivi au moins vingt-cinq thérapies dans ma vie, alcool et drogues. Et chaque fois, je racontais mon histoire. Ce ne sont pas ces thérapies qui m'ont vraiment aidé. À chaque fois, j'étais bon pour fonctionner pendant neuf mois. J'appelais cela mes neuvaines.

Ce qui m'a aidé le plus, ce sont mes voyages dans l'Ouest. Je suis revenu à ma culture que j'avais perdue en cours de route. Je retrouve de plus en plus ma spiritualité. J'ai appris à me regarder, à me respecter, à me faire confiance et à retrouver ma valeur en tant qu'être humain. Au pensionnat, on n'avait jamais rien à dire, il fallait écouter les prêtres. Ce qui m'a aidé dans l'Ouest, c'est que je me suis senti libre. J'avais deux « sweat lodge » par jour. Avec des gens qui parlaient ma langue et qui pratiquaient ma spiritualité. J'y retourne l'été prochain. Je deviens plus spirituel, plus patient. J'accepte plus. C'est comme un cadeau, une bénédiction. J'ai renoué avec mon identité.

Aujourd'hui, nous sommes dans une période de réflexion. Avec la Fondation de guérison, on réfléchit ; on se rend compte que oui, on a vécu des choses dans le passé. Mais maintenant, on nous donne des outils. Il faut les prendre. Il faut se donner la meilleure des chances pour regagner notre fierté, être soi-même et être avec les autres aussi, c'est un combat que l'on mène ensemble. Il faut se dire que c'est heureux que ce soit passé et qu'on soit passés à travers et leur montrer qu'on est forts et solides. Voilà l'après pensionnat.

Je voudrais dire aux communautés d'ouvrir les yeux et de ne pas avoir peur de regarder en arrière pour vivre notre présent parce qu'il y a du positif vers l'avant, il y en a beaucoup. On ne peut rien changer à ce qui est arrivé mais on peut se mettre à travailler ensemble pour que nos enfants et nos petits-enfants voient qu'on a quand même passé à travers. Ce n'est pas parce qu'on a vécu un certain nombre d'années au pensionnat qu'on doit être tristes le restant de ses jours.

Je vis en pensée mon rôle de grand-père car mes enfants vivent loin de moi. Je suis fier d'eux; ils ne touchent pas à la drogue ni à la boisson. Moi, cela m'aide à guérir de voir ma fille qui prend soin de ses enfants et qui ne touche à rien de cela. Elle m'a encore fait vieillir, je suis devenu grand-père. L'espoir, le véritable espoir, c'est que mon petit-fils n'ira pas au pensionnat. Mais est-ce qu'il voudra aller à l'école ? C'est certain que je vais essayer de lui donner le goût de la lecture, car cela aide beaucoup. C'est ce qui m'a sauvé.

Je n'ai jamais eu honte d'être Autochtone même si, au pensionnat, ils ont failli réussir. Mes ancêtres m'ont laissé la force, la patience. Les prochaines générations vont être choyées, car il y a tellement de gens qui essaient de se réveiller et se disent qu'il y a des choses à faire et qu'il faut les faire. Nos enfants ne pourront pas faire autrement que d'être fiers de nous. Même si ce que nous leur laissons ne sera pas intact, ce sera quand même en bon état. Il faudrait d'autres fonds pour la continuité des activités de guérison, sinon on ne pourra pas terminer ce que nous avons commencé et faire en sorte qu'on se souvienne de ce qui s'est passé. Je me demande si les Canadiens veulent vraiment entendre la vérité. Il y a encore des gens qui nient l'histoire des pensionnats autochtones.

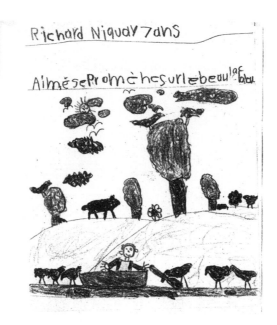

Photo : Hemera

« Aujourd'hui, les gens veulent savoir encore plus sur eux-mêmes. C'est vrai que plus on parle de soi, plus on sort de soi. On n'est plus victime, on est libéré. »

Rose-Anna

Nous étions dix enfants dans notre famille et seuls mes deux plus jeunes frères ne sont pas allés au pensionnat. On était quatre de la famille en même temps au pensionnat, l'année de l'ouverture. Ce que j'aimerais savoir aujourd'hui, c'est comment ça se fait que je ne me souviens pas de mon départ ni de mon arrivée au pensionnat ? Je ne m'en souviens vraiment pas. Je me souviens que toutes les petites filles pleuraient autour de moi et, moi, je me disais : « Mais qu'est-ce qui se passe ? » Je me suis réveillée à ce moment-là.

J'avais neuf ans quand je suis entrée au pensionnat. Alors, je me souviens très bien quand on vivait dans le bois. Ma grand-mère était là, avec mes parents. J'avais eu très jeune une éducation pour l'artisanat et les tâches quotidiennes. Nous apprenions comment vivre et nous responsabiliser. J'étais désobéissante quand j'étais jeune. Mon père me disait : « Je ne veux pas que tu ailles au bord de l'eau ». Et moi, en cachette, j'allais toujours au bord de l'eau. Un jour, ils m'ont surveillée. Je suis allée jouer et je suis tombée à l'eau. Je ne savais pas que j'étais surveillée. Mon père est venu me ramasser tout de suite. C'est comme cela qu'on apprenait.

Le contact avec les religieuses était très difficile, on ne se comprenait pas. La religieuse disait « Ben oui » et moi, je me demandais qui était « Berrie ». Je ne comprenais absolument rien à ce qui se passait. On avait tous un numéro. On ne m'appelait pas Rose-Anna, mais soixante-trois. C'était mon numéro. Ils ne nous appelaient pas par notre nom. On était souvent punis parce qu'on ne comprenait pas.

Dès qu'on arrivait, ils nous défendaient de parler en algonquin. Ils nous frappaient si on parlait notre langue entre nous. On parlait juste en français. Alors, nos parents nous disaient qu'on était vraiment séparés, qu'on avait plus de contacts avec eux. Ils nous disaient : « Parlez donc en indien, vous êtes des Indiens, on ne vous comprend pas. » Au fil du temps, quand on retournait dans notre famille, on ne s'entendait plus avec nos parents. On ne parlait plus la même langue.

C'est sûr qu'il y eu des moments où on s'amusait, nous étions des enfants. Moi, j'aimais aller glisser, patiner. On était obligés de rester dehors mais il y avait des activités qu'on aimait. À la récréation, entre nous, on se battait. On n'était pas de la même nation. Quand on est arrivés, il y avait beaucoup d'Attikameks. Cela a été très dur avant qu'on soit amis avec eux. Plus tard, entre nous, on parlait atikamekw.

La première fois qu'on est arrivés au dortoir et que j'ai vu mon petit lit, j'avais peur de tomber en bas. J'avais mis la couverture sous moi car j'avais peur qu'il y ait quelqu'un sous mon lit. Nous, on était nomades. Je n'avais jamais couché dans un lit avant. On couchait dans des tentes, dix mois de temps dans le bois. Je ne trouvais pas le lit confortable. Il y avait des petits lits, pas d'espace et partout des enfants autour de moi.

Et un jour, je n'ai plus voulu retourner au pensionnat. J'ai tout fait pour pouvoir en sortir. Ma cousine et moi, on nous obligeait à repriser les bas mais on ne nous avait pas donné d'aiguilles. Alors on ne pouvait pas réparer les bas et nous avons été punies. La Soeur nous a amenées au directeur. On l'attendait à genoux et le Père principal est venu donner la «strappe» à ma cousine, à côté de moi. Et moi, je me disais : « Non, tu ne me feras pas mal, tu ne me feras pas mal. » Et quand il m'a frappée à mon tour, je n'ai pas eu mal. Je n'ai rien senti comme si j'étais gelée. Je lui ai ri au visage. Alors ils ont appelé nos parents à une heure du matin. On leur a raconté ce qui s'était passé. Les Soeurs ne voulaient plus de nous et nous ont mis dehors du pensionnat. J'avais treize ans.

L'année suivante, je suis allée à l'école Sainte-Thérèse avec un autre peuple que je ne connaissais pas. Là, on a vécu du racisme. J'étais très timide. Jusqu'à l'âge de trente ans, j'étais incapable de m'exprimer. Longtemps, j'ai eu la honte d'être une Indienne. À l'école, on nous disait qu'on était des Sauvages, qu'on brûlait et scalpait des missionnaires. Moi, je ne voulais rien savoir du Dieu terrible des catholiques, un Dieu punisseur prêt à nous jeter en enfer. La seule chose que je voulais, c'était la vérité. Je voulais connaître mon Créateur. Je cherchais à comprendre pourquoi nous étions ici. J'ai lu la Bible.

Je buvais beaucoup. Je fumais du hashish à chaque jour. Je jouais beaucoup avec les mauvais esprits, j'étais très attirée par tout ce qui était mystique. Je voulais savoir où je m'en allais. Je m'intéressais à mon Créateur. J'avais une très mauvaise estime de moi parce que j'ai été abusée par le prêtre. Le prêtre me disait dans le confessionnal: « Viens ici, approche-toi, je ne t'entends pas. » Et il me faisait des attouchements. Quand les enfants sortaient du confessionnal en pleurant, je savais ce qui se passait. Pour moi, tout ce qui était lié au sexe me répugnait. Et je me sentais coupable, j'avais honte de cela. Je me sentais sale. Je comprends les gens qui sont passés par là.

À l'âge de trente ans, j'ai voulu savoir qui j'étais. En revenant à Pikogan en 1980, j'ai commencé à vraiment m'intéresser à ce qui nous arrivait collectivement. Les parents, tous nos parents, buvaient. J'ai commencé à m'intéresser à ma communauté. Nous sommes un peuple, pas seulement des personnes qui boivent. Avec celui qui est le Chef maintenant, on a commencé à faire de la sensibilisation, à travailler le développement personnel mais aussi ce qu'on est en tant que peuple, pas seulement en tant qu'individu. C'est là que j'ai commencé à me questionner moi aussi. Et la voie qui s'est ouverte à moi, c'est la spiritualité, mon Créateur. J'entre en relation avec mon coeur. C'est comme cela que j'ai commencé à me développer. On est des êtres humains avec notre âme et notre esprit. Peu à peu, les autres aussi se sont questionnés.

J'ai rechuté dans les années 1990. Pendant quatre ans. Je suis allée en thérapie pendant quatorze mois. Je voulais comprendre pourquoi j'étais comme cela. Et c'est là que le pensionnat a tout remonté : le passage de mon être vers la souffrance. En arrivant en thérapie, quelqu'un est venu m'accueillir. Je me suis sentie comme si la Mère supérieure venait me chercher. J'ai été fouillée et on a fouillé mes bagages. Je me suis sentie comme si j'avais dix ans, comme une enfant. Et j'avais quarante-six ans. Ensuite, tout ce que je voulais, c'était sortir de là. Pendant quatorze mois, c'était comme si je vivais au pensionnat. J'ai travaillé là-dessus et c'est là qu'a commencé mon deuxième cheminement personnel.

Aujourd'hui, les gens veulent savoir encore plus sur eux-mêmes. C'est vrai que plus on parle de soi, plus on sort de soi. On n'est plus victime, on est libéré. Le projet de guérison, le chemin de guérison, j'y travaille avec ma fille. On a fait plusieurs groupes de soutien et de thérapie pour ceux qui sont allés au pensionnat. Presque tous ceux qui sont allés au pensionnat sont passés par là. Le groupe de soutien, c'est le groupe de ceux dont les parents sont allés au pensionnat. Cette année, on a fait le groupe des douze étapes. Ceux qui participent à ce groupe sont solidaires, ils s'entraident et veulent vraiment sortir de leurs problèmes. Les gens désirent continuer à cheminer. C'est un projet de la fondation de guérison. Au début, le projet s'appelait « Habileté parentale » et on cherchait à lui donner un nom algonquin. Puis, cela s'est appelé « le chemin de la guérison » pour aider les familles, tous les membres de toutes les familles, à cheminer dans la guérison.

Maintenant, nous avons une belle communauté. J'aimerais que les générations qui n'ont pas connu le pensionnat sachent l'histoire des communautés et puissent comprendre pourquoi il y a tant de consommation. Il faudrait réécrire notre histoire du Canada et l'enseigner dans les écoles. Ce n'est pas seulement le pensionnat qui a détruit nos populations.

Quand les premiers missionnaires sont arrivés, c'est là que tout a commencé. Il ne fallait pas toucher aux serviteurs de Dieu qui nous enseignaient l'enfer et le péché mortel. Mes parents ne m'ont jamais enseigné la religion. Ma grand-mère était très catholique et c'est vrai qu'ils ne nous croyaient pas quand on leur disait qu'on était abusés. Nous autres, on était pendant dix mois dans le bois et deux mois au lac Abitibi. Et le prêtre venait là pour dire la messe tous les jours. En dehors de cela, on n'avait pas de religion. Je ne crois pas en la religion. Ce sont les hommes qui ont inventé la religion, pas Dieu.

Pour l'avenir, je veux que les Premières Nations se lèvent. Je veux qu'on soit reconnus en tant que peuple et qu'on reconnaisse ce que nous avons vécu pour que l'on puisse vivre en harmonie avec tous les peuples. Je veux que les enfants de la communauté retrouvent leur langue. Il faut que tout le monde soit conscient de ce que nous sommes en train de perdre, de l'importance de ce que nous perdons. La langue, c'est notre identité. Parle-moi donc en algonquin si tu es un Algonquin. Mon petit-fils vient de comprendre cela.

Je suis fière de mes petits-enfants, ils ont pris leurs responsabilités. Quand les parents sortaient, je les ramassais chez moi et je les gardais avec moi. Je voulais savoir où ils étaient. Ils ont vu le mal. Ils n'ont pas voulu que leurs enfants grandissent là-dedans et ils ont quitté la communauté. J'ai un petit-fils qui chante, il s'appelle Samiens. Il est revenu faire sa scolarité. C'est là qu'il a commencé à écrire de la poésie. Sa soeur lui demandait : « Pourquoi tu ne chantes pas ? ». Et sa carrière a commencé. Il s'intéresse à l'histoire des pensionnats. Il en parle clairement, ouvertement. Il dénonce l'injustice et demande que le peuple soit reconnu. Il parle souvent de moi.

Photo : Patrice Gosselin

73

Photo : Patrice Gosselin

« Cela me permettait de vivre comme mes ancêtres vivaient, un jour à la fois. À chaque jour, aller chercher ce dont on a besoin et survivre. J'ai pu m'accrocher à cela. Cela m'a permis de cheminer, de revivre les valeurs de mon enfance. »

Simon

Lac-Simon, Pensionnat de Saint-Marc-de-Figuery

C'est une histoire qui ne finit jamais. Notre histoire, on ne sait pas où elle débute vraiment. Le processus avait déjà commencé avant même qu'on parte pour les pensionnats. Nos aînés nous racontaient des choses bien avant qu'on parte pour le pensionnat. Parfois, je me dis que le pensionnat m'a sauvé. On vivait vraiment dans la pauvreté. Il n'y avait pas de programmes d'aide. Il fallait aller à la chasse pour survivre ou fouiller dans les poubelles des camps de bûcherons. Je me souviens que nous avons passé une semaine sans manger, juste à boire de l'eau. Nos parents avaient très peur du gouvernement de l'homme blanc. Lorsque mon père tuait une perdrix ou un lièvre, il nous disait de n'en parler à personne. Le pensionnat m'a sauvé de cela. Je suis entré au pensionnat à l'âge de sept ans et quand j'en suis sorti au bout de quatre ans, quand j'ai quitté le pensionnat, cela m'a fait un coup. Je savais ce qui nous attendait. Il n'y avait pas de programmes sociaux dans ce temps-là. Mon père me disait souvent aussi : « Il ne faut pas que tu te laisses photographier. » Je me demandais pourquoi.

En sortant du pensionnat, je savais que je perdais beaucoup d'amis, tous mes amis avec qui je faisais du sport. On a appris à lire. Il y avait la religion aussi. Je voulais devenir prêtre un moment donné et je servais la messe toutes les fois que je pouvais. C'est là que j'ai connu mes premiers petits coups de vin.

Je me pose beaucoup de questions encore aujourd'hui. J'ai toujours dit que la religion était la complice du gouvernement mais je ne pouvais pas débattre de cela avec les aînés. J'ai été, très jeune, impliqué au niveau politique dans la communauté. Au début, juste pour le titre mais ensuite, j'ai cheminé. J'ai arrêté de consommer et j'ai commencé à voir les impacts, les enjeux et à comprendre. Encore aujourd'hui, je me pose la question à savoir si les communautés sont une bonne chose.

Avec ce que nous vivons à l'intérieur, ce n'est pas évident si tu regardes les gens. Si je fais mon arbre généalogique, je vais rejoindre toute la communauté à un moment donné. Une fois que tu entres dans la vie publique, tu n'as pas de vie privée et ton passé te revient, même après vingt ans.

Aujourd'hui, je sais que j'ai été chanceux de garder les contacts avec mon grand-père. C'est lui qui nous a permis de conserver notre langue. À chaque été, il nous emmenait ramasser des bleuets et nous racontait des histoires et des légendes. Malgré tout ce que j'ai vécu au pensionnat, j'ai pu garder ma langue et ma culture. Des fois, je me dis que les plus beaux moments que j'ai vécus se sont passés avant les pensionnats. On restait dans différents campements. À l'automne, on partait en bateau. J'ai fait beaucoup de campements. On avait un campement à Lebel-sur-Quévillon. On était nomades, on partait au printemps et à Noël, on était rendus à Amos en passant par la rivière. Aucune pression gouvernementale, on vivait libres. Les pensionnats m'ont beaucoup changé parce qu'à ce moment-là mon père était souvent à l'hôpital. Des fois, on était seuls avec ma mère. J'ai vécu pas mal un peu partout, car on devait changer de campement.

Quand j'ai quitté le pensionnat, je suis revenu dans ma communauté de Lac-Simon. Il n'y avait pas grand-chose dans le bas de la côte, pas d'eau courante, pas d'électricité. Il fallait sortir dehors, même la nuit, pour faire nos besoins et cela même en hiver à -40°. Il fallait aller chercher l'eau au bord du lac. Mon père était encore trappeur et il fallait que je prenne la relève quand il partait. Il faut faire la part, ce sont mes parents qui avaient peur des instances gouvernementales, même de chasser sur nos territoires. À partir de l'âge de 14 ans, j'ai consommé jusqu'à l'âge de trente ans. Je me suis marié à dix-huit ans et mon beau-père m'a dit : « Tu as fait une gaffe et tu dois réparer. » J'ai eu des enfants. La responsabilité, je n'ai jamais su ce que c'était. J'ai fait le même pattern que ce que j'ai vécu. C'était mon ex-femme qui avait les responsabilités. Quand j'ai arrêté, je n'avais plus le choix.

Ensuite, j'ai été élu Chef et je voulais sauver la communauté. Au moment de la prise en charge des communautés, les Affaires indiennes transféraient les pouvoirs aux communautés. J'ai participé aux discussions sur la manière de faire les transferts. Je voulais sauver ma Nation mais j'ai oublié de sauver Simon.

Je me demande si j'ai été Chef juste pour me battre, pour régler les guerres de chasse, car on ne pouvait plus rien faire dans ces années-là. On a commencé à affirmer nos droits de chasse et de pêche. Et aussi à se poser la question : pourquoi nous a-t-on mis dans ces communautés-là ? Le pensionnat m'a juste permis de dialoguer avec le monde à l'extérieur mais il n'a pas été en mesure de me prendre ce que j'avais en dedans, mon âme autochtone, ma langue. Chaque personne doit prendre conscience qu'on n'est pas obligés de se détruire encore plus pour bien vivre.

Aujourd'hui, on est en train de perdre un peu plus. On écrit la langue plus en français. On ne va plus dans le bois; les choses de la nature, je ne peux plus les identifier. Un des gros bobos qu'on découvre à mesure qu'on avance dans notre guérison, qui nous gruge de l'intérieur, c'est notre dépendance affective. On a beaucoup manqué d'avoir perdu le contact avec nos parents. Nos parents ne nous ont jamais dit « je t'aime », ça prend ce contact-là avec nos enfants. Il faut leur dire « je t'aime ». À leur manière, ils nous le montraient. Ils étaient là mais ce n'était pas parlé.

Aujourd'hui, je vais parler davantage de ce que j'ai vécu avec mes enfants, de ce qu'ils vivent aussi. Quand ils ont commencé à avoir des problèmes à leur tour, ils m'ont clairement indiqué qu'ils n'ont pas eu de père. Ils me disaient : « Ce n'est pas un père que nous avons eu, c'est un Chef. » Ma plus vieille a trente-cinq ans, je suis grand-père. Pendant des années, j'ai fait beaucoup de mouvement AA et cela m'a aidé à comprendre. Je l'ai aimé ce mouvement-là parce que cela me permettait de vivre comme mes ancêtres vivaient, un jour à la fois. À chaque jour, aller chercher ce dont on a besoin et survivre. J'ai pu m'accrocher à cela. Cela m'a permis de cheminer, de revivre les valeurs de mon enfance.

Un bon jour, je devrais écrire ma biographie pour laisser à ma communauté tout le travail et les embûches que nous devrons encore dépasser. Souvent, je me dis que mes pensées sont trop en avant des pensées de la communauté. On devient une personne importante et reconnue quand on est dans notre cercueil. Dans ma réflexion des choses, quand on vit un décès par exemple, cela devrait revenir à la famille. Ce n'est pas une affaire communautaire. Il faut progresser dans ce sens là, c'était comme cela avant mais les choses ont changé.

Je suis fier d'être un membre des Premières Nations, d'avoir retrouvé mes origines et d'être encore en mesure de parler ma langue. Selon moi, la langue, c'est l'identité d'un individu. Il faut retourner à la source pour comprendre les choses. Il faut réapprendre la langue pour pouvoir transmettre le reste, se réapproprier la culture et revenir au développement qu'on avait déjà commencé. On faisait beaucoup de choses ensemble. Il faut ramener nos enfants camper et faire des choses ensemble, partir avec les enfants, comme on faisait avant. On vidait la communauté et on partait camper une semaine, deux semaines. Il faudrait que les jeunes nous le demandent. Eux-mêmes sont perdus dans la boîte administrative. Tout le monde peut aller dans le bois demain matin.

Photo : Patrice Gosselin

« Ce qui m'aide et que j'ai gardé du pensionnat, c'est la force de caractère, l'autonomie, la détermination et une attitude de fonceur. »

William
Pensionnat de Saint-Marc-de-Figuery

Je viens de Rapide-Sept. On a emménagé ici en 1970. Nous autres, on reste à la première rue qui existe à Lac-Simon et c'est la première ou la deuxième maison ici, à Lac-Simon. Avant d'aller au pensionnat, je pâtissais déjà du pensionnat. Quand mes frères partaient, ils me manquaient. C'était déjà des effets négatifs. Je suis le quatrième de six enfants et mes grands frères partaient. Quand je pense au pensionnat, c'est toujours l'odeur qui me revient. Je n'ai pas oublié, cela me revient de temps en temps. Je ne sais pas quelle senteur mais je n'aime pas quand ça revient.

Je vais parler en détail de ce que j'ai eu. J'ai tout eu. Des agressions de toutes sortes, beaucoup de violence et beaucoup de plaisir aussi. J'ai eu de bons moments quand même. J'ai joué au hockey au début. Je suis resté deux ans au pensionnat, ensuite je suis allé à Louvicourt. À l'école, cela allait bien au primaire et puis première et deuxième secondaire, ça allait bien. Je passais mais je pense que c'est là que mes déboires ont commencé. Après le premier secondaire, je n'ai pas réussi. Quelque chose me bloquait et c'est là que je suis allé en thérapie. Pourtant, je l'avais au début. Je comprenais le français et puis, tout d'un coup, cela a bloqué. Je n'étais même plus capable de composer, blocage total, même plus capable d'écrire des phrases simples. Aujourd'hui, cela s'améliore beaucoup, même verbalement, depuis que je suis en cheminement. Avant, je n'étais plus capable de verbaliser, même en entrevue. Je me surprends moi-même, aujourd'hui, d'être ici en train de vous parler.

Après le pensionnat, ça a été la consommation. J'ai eu mon premier enfant à dix-sept ans, j'ai commencé jeune. Puis, j'ai eu une autre fille par la suite. Ma femme doit aussi être allée au pensionnat. On n'a jamais parlé de cela. Elle est décédée en 1990 mais il me semble qu'elle y est allée aussi. Le rôle de parent, je pensais que ça avait bien été pour moi. J'ai fait beaucoup de tort aux enfants à cause de la consommation. Je ne savais même pas pourquoi je consommais. En 1990, j'ai perdu ma femme dans un accident. J'étais fâché contre le système, j'étais en colère.

En 1998, j'ai vécu ma première thérapie. Depuis longtemps, j'en parlais mais je ne le faisais pas. Après ma première thérapie, je croyais que j'avais fait le ménage mais, peu de temps après, je recommençais à consommer jusqu'en 2005. J'ai fait une autre thérapie et j'ai résisté trois, quatre mois encore.

Dernièrement, je suis allé à une autre thérapie, en juin 2009. Ça a été vraiment une merveille cette fois-là. La différence, je pense c'est que pendant la thérapie, on m'a pris dans les bras et on me berçait. Cela m'a vraiment saisi, j'ai braillé. Et puis, j'étais le premier qui se faisait bercer, le premier à vivre cela, à vivre quelque chose d'aussi profondément émotif. J'aime me sentir comme je me sens maintenant. Je ne veux pas oublier ça, comment je me suis senti à ce moment-là. Et en consommant, je vais oublier ou gaspiller cette sensation-là que j'ai vécue. Je sais qu'il y a des moments que je revis cela, que j'aime. Aujourd'hui, je vis de bonnes sensations que je n'avais jamais vécues.

J'avais arrêté de faire du sport. Juste pouvoir recommencer à jouer au hockey, revivre cela, ressentir à nouveau l'adrénaline et se dire entre nous : «Wow, c'était bon ! » Même si on a perdu, c'était bon de jouer. J'aime cela. On est allés en fin de semaine au tournoi. On a gagné en finale et un gars est parti avec la bourse. Cela ne me dérange pas, on a gagné. Mais il y a encore autre chose de plus important, et c'est moi. Prendre soin de moi en allant à la pêche, en faisant du pow-wow, des activités qui me réveillent, moi. Ne plus me négliger, avoir du plaisir sans consommer. Avant, pour avoir du plaisir, il fallait que je consomme. Pour parler, il fallait que je consomme. J'étais tanné de rester chez nous et de consommer.

Cela fait seize ans que je travaille pour le département. Je suis directeur général du développement économique depuis douze ans. Ils m'ont enduré pendant tout ce temps là ; ils doivent m'aimer en quelque part. Là, je fais des soixante-dix heures. Avant, il manquait beaucoup d'heures. Maintenant, j'ai même des heures accumulées en surplus. J'aime beaucoup mon travail mais c'est dur. Présentement, on cherche à donner l'espoir aux jeunes avec des projets qui s'en viennent et à donner l'espoir à la communauté pour l'avenir des jeunes. Cela fait trois ans qu'on travaille sur ce projet de plan de structuration de la corporation. On est rendus à la mise en oeuvre cette année. Cela tombe bien, je suis à jeun. Sinon, je ne serais pas capable de supporter ça. Avant, si j'avais de la misère, on s'en va consommer. Je gagnais un point, on s'en va fêter cela, on s'en va consommer. On avait toujours une bonne raison. Est-ce qu'il y a un lien entre mes difficultés et le pensionnat ? J'avais nié cela. Je ne pouvais plus penser à cela pendant des années. En 1998, j'ai fait une prise de conscience. J'ai travaillé beaucoup, c'est vrai, mais je n'en avais pas assez fait. Il en était resté beaucoup. Je pense que maintenant, c'est la bonne fois.

Avoir une enfance heureuse, c'est l'amour et la protection de nos parents, le respect. Ma mère me donnait assez d'amour mais je crois que c'est mon père qui me manquait.

Quand mes frères partaient pour le pensionnat, ils disparaissaient pendant plusieurs mois et je ne savais pas où ils allaient. Mais moi je crois qu'en plus de la séparation, ce que je trouvais le plus dur, c'est ce que ma mère nous disait au bout de la troisième ou de la quatrième année : « Je ne vous reconnais plus. » Il y avait une coupure réelle, profonde, entre nous et en nous.

Un événement a déclenché en moi le pouvoir de vivre pleinement. Un jour, j'ai été hospitalisé. Il y avait, dans le lit à côté du mien, un monsieur en phase terminale et il criait : « Je veux vivre, je veux vivre.» Il refusait de mourir et cela m'a réveillé. C'est à partir de là, et de plus en plus pendant les mois qui ont suivi, que je me suis rendu compte de l'importance de ce que je venais d'entendre. Cette personne qui voulait vivre, et moi en consommant, j'étais en train de me tuer. C'est la consommation qui m'a rendu jusque-là, à l'hôpital.

J'ai toujours eu une bonne communication avec ma fille mais avec mon fils, c'est autre chose. On se parle mais il n'y a pas de câlins. Ils m'en veulent, ils ne m'ont pas encore pardonné. Je leur ai parlé un peu des pensionnats. J'en ai parlé un peu mais pas plus que ça. C'est important mais juste pour dire d'où cela vient.

Être membre des Premières Nations, cela signifie la fierté de l'appartenance. J'ai pas mal négligé ce que je suis, ce que j'étais. Aujourd'hui, je fais les pow-wows, les cérémonies. Je veux cela pour moi et je veux aussi faire comprendre à ma famille que c'est par là que je veux aller et leur montrer la direction de la source. Présentement, mes enfants ont quasiment oublié leur langue. Ils sont jeunes encore et ils peuvent changer d'idée. Moi aussi, à cet âge-là, je ne parlais presque plus ma langue. Je l'avais délaissée. Pour moi, c'était devenu moins important que la consommation.

Ce qui m'aide et que j'ai gardé du pensionnat, c'est la force de caractère, l'autonomie, la détermination et une attitude de fonceur. Je fonce quand même, même avec le gouvernement. S'il y a des embûches, je persiste, persiste, persiste... On va peut-être négocier l'entente cadre. Cela fait deux ans qu'on en parle, je n'ai pas lâché.

Pour les prochaines générations, pour l'avenir, je leur souhaite du changement. J'ai demandé au guide spirituel si, moi, j'allais voir du changement dans ma communauté. Il m'a répondu : « Oui ». C'est ce que je veux. Ce qu'on peut faire, c'est développer des entreprises, créer des emplois.

Je voudrais léguer quelque chose. Je voudrais que les membres de notre communauté soient fiers de ce qu'ils sont. Je veux développer des projets pour qu'ils se trouvent, qu'ils trouvent leur fierté, leur liberté. Alors je vais foncer encore, tant que j'en serai capable.

Au niveau spirituel, je suis avec la fraternité AA et je la fréquente depuis que je suis sorti de thérapie. J'aime participer aux conférences. Je fais beaucoup de lecture, des projets et du sport.

« *Aujourd'hui, j'étudie à l'université et cela m'aide beaucoup. Quand je suis parti au pensionnat, j'avais cinq ans et demi. À chaque fois que je pars pour l'université, je regarde mes enfants et cela me rappelle le départ pour le pensionnat. Tous les départs sont pour moi le même départ, le même abandon.* »

Edward

Mon nom est Edward Shilton, de la communauté Attikamek de Wemotaci. J'ai pris conscience que je devais changer ma vie quand je me suis marié et que j'ai eu mes enfants. J'avais beaucoup de problèmes liés à la consommation, l'alcool surtout. Il y avait toujours quelque chose qui m'y ramenait. Je sentais quelque chose en moi qui m'étouffait. J'ai commencé à comprendre que ce que j'avais vécu aux pensionnats venait me déranger dans ma vie de père de famille. Je voyais mes enfants et je ne comprenais pas pourquoi je leur faisais du mal. Je comprenais que je devais me libérer d'un poids que j'avais à l'intérieur de moi. Mais ce poids-là, je l'ai toujours. C'est difficile encore pour moi, je trouve toujours cela difficile. À chaque fois que j'en parle, c'est comme si j'y retournais encore et je ne veux plus retourner là. Mon épouse et moi, on parle, on essaie de s'entraider mais c'est comme si on tournait en rond.

Actuellement, il est beaucoup question de guérison et moi, je sais que je ne pourrai pas guérir. J'essaie simplement de cicatriser. C'est trop dur ce que j'ai vécu, c'est trop difficile. Je veux m'en sortir mais je ne suis pas capable d'enlever ce qui est inscrit dans ma tête. J'ai rencontré des psychologues, des thérapeutes et tous me disent que je n'ai pas à avoir honte de ce qui m'est arrivé aux pensionnats. Mais moi, j'en parle seulement avec mon épouse et, même à elle, je ne dis pas tout. C'est gênant pour moi et cette gêne est insupportable. En moi, c'est une colère terrible à cause de ce que j'ai subi. C'est ce qui nous a rendus si violents plus tard, ma femme et moi. Souvent, on se dit: « On va l'enterrer ce qui nous est arrivé. ». Mais ce que tu enterres, il y a toujours quelque chose qui en sort. Plante une graine, il en sort un arbre. Si la graine est bonne, l'arbre sera bon. Si ce que j'enterre n'est pas bon, qu'est-ce qui en sortira? Je suis retourné sur les lieux de ces évènements-là et je suis resté complètement bloqué, incapable de réagir. Comme le petit garçon que j'ai été. Je me voyais. J'ai vu le petit Edward qui se faisait taponner par le Frère.

Aujourd'hui, il n'y a pas grand-chose qui pourrait me rendre heureux. Quand je vois mes enfants, mes petits-enfants, je suis content. Ils ne connaîtront jamais ce que j'ai connu et c'est cela l'espoir que j'ai. Je crois que c'est le souhait de tous les ex-pensionnaires qui ont vécu l'enfer sur terre, quelle que soit leur race. Maintenant, quand on me parle de religion, j'ai des doutes, de très gros doutes. Je me souviens très bien que le Frère faisait tout le contraire de ce que la bonne Soeur qui m'enseignait me demandait de faire. Mes parents aussi étaient complètement endoctrinés par le curé du village, alors c'était inutile de dénoncer. J'ai tout gardé cela en moi.

Les gens d'aujourd'hui doivent voir pour croire et cela s'est passé il y a au moins cinquante ans. Les gens ne peuvent pas croire ce qui s'est passé il y a si longtemps mais, pour les ex-pensionnaires, c'est simplement cicatrisé. Et une cicatrice s'ouvre au moindre petit coup, si facilement.

En parler avec vous me soulage quand même un peu mais pour si peu de temps. Cela sort en ce moment, je sens une libération mais j'ai peur du retour. Si je n'avais pas eu d'enfants, je ne serais pas ici pour vous en parler. Je veux rester pour protéger mes enfants. Je leur enseigne ma spiritualité, car j'ai perdu confiance en l'Église catholique. Ces gens-là font le contraire de ce qu'ils disent. Leur fameux bon Dieu. Bon ? Si leur Dieu était si bon que cela, pourquoi sommes-nous rendus là aujourd'hui, nous ? Le sens de la bonté n'a plus aucune valeur pour moi. Dans la spiritualité que je partage avec mes enfants, on parle avec notre Créateur. Je sais qu'il y a quelqu'un de plus fort que moi, Il y a quand même certains éléments que je respecte dans leur religion, par exemple: le pardon, la réconciliation. Certains seront capables mais d'autres ne pourront pas pardonner. On dit qu'il y a des actes qui ne sont pas pardonnables et c'est vrai.

Ce que je souhaiterais pour les dix prochaines années, c'est l'unité et l'entraide dans ma famille d'abord et ensuite, dans toute la communauté. Voyez nos enfants, ils cheminent sur nos traces. C'est l'héritage que nous leur laissons. Je suis aussi arrière-grand-père. Les Autochtones apprennent en regardant et en faisant. Cela va prendre sept générations pour se résorber. Nous sommes marqués au fer rouge. C'est du passé mais ce n'est pas une histoire. C'est ce qu'aura été notre vie.

C'est difficile d'être un membre des Premières Nations. Aujourd'hui, j'étudie à l'université et cela m'aide beaucoup. Quand je suis parti au pensionnat, j'avais cinq ans et demi. À chaque fois que je pars pour l'université, je regarde mes enfants et cela me rappelle le départ pour le pensionnat. Tous les départs sont pour moi le même départ, le même abandon. À l'université, les jeunes restent figés devant moi. Je me demande si quelque chose est écrit sur mon front. Est-ce qu'ils ont entendu parler de quelque chose de mon passé ? J'ai envie de leur dire: « Avant de porter un jugement sur quelqu'un, regarde-toi en dedans, pas dans le miroir, le miroir est un reflet, une façade. Tu peux faire ce que tu veux d'une façade mais pas de ce qui est à l'intérieur de toi. »

Je ne suis pas encore en paix avec ma vie. Je ne suis pas guéri, je ne suis pas rendu à cette étape-là. On ne peut pas changer d'étape simplement parce qu'on le voudrait. À l'adolescence, grâce aux activités sportives, c'est comme si j'avais eu un moment de répit et que j'avais mis mon mal en attente. Le hockey m'aidait à garder cela au repos. Ensuite, quand j'ai cessé de faire du sport, j'ai commencé à consommer, à fumer. Je n'avais pas oublié, cela m'attendait. D'un côté, c'est bien de ne pas oublier pour ne pas que cela revienne. Il faut apprendre des erreurs du passé mais il faut aussi en sortir.

Quand j'étais au pensionnat, on était toujours en chicane avec les jeunes Montagnais de Pointe-Bleue. On se battait derrière le pensionnat. Mais ensuite, on est devenus de vrais amis. Aujourd'hui encore, on fait des activités ensemble. C'est le seul point positif des pensionnats. Cela a créé un lien très fort entre nous mais on se parle sans cesse de ce qui nous est arrivé. Je ne sais pas quand on a pris conscience qu'on faisait fausse route en se détestant, en se haïssant autant. Maintenant, entre Attikameks et Innus de Mashteuiatsh, on est devenus les meilleurs copains du monde. On est tous des sportifs, les Autochtones. On a beaucoup joué avec les Hurons aussi, on a développé des liens avec eux. On a partagé avec les autres Nations notre histoire des pensionnats.

Selon moi, cela nous aiderait d'être à l'écoute les uns les autres. Si on raconte tout cela, il ne faut pas que cela soit un roman puisque c'est réel. On ne peut pas nier la réalité. Ce qui me choque, c'est la compensation qu'ils nous ont donnée, comme s'ils nous payaient pour notre silence et notre disparition. « Tiens Edward, retourne dans ta réserve. » Je voudrais que le gouvernement sorte ce qu'il nous cache. Peut-être que cela nous aiderait à comprendre. Pourquoi le gouvernement nous a-t-il confiés à des pédophiles ? Si on comprenait cela, peut-être qu'on pourrait guérir. Comme c'est là, il n'y a que les pensionnaires qui deviennent transparents. Il ne faut pas utiliser cette histoire pour nuire ou pour détruire. Elle doit servir à éclairer les évènements, à instruire ceux qui ne sont pas au courant. Cela fait toujours peur de parler, de laisser monter les émotions, mais ça fait toujours aussi un peu de bien.

J'aimerais qu'il y ait une plaque commémorative dans chaque communauté, comme pour l'Holocauste en Allemagne, pour que plus jamais cela ne se reproduise, plus jamais. Qu'on se dise qu'il ne faut plus jamais cela. Et l'histoire des pensionnats devrait absolument être intégrée dans les livres d'histoire du Canada. Et cela ne devrait pas s'appeler l'histoire du Canada.

Le mot Canada signifie long house, c'est un mot mohawk. Ils n'ont pas découvert le Canada puisque cela n'existait pas. Il faudrait donner à ce pays le nom d'une terre indienne. Alors on parlera de guérison, de réconciliation.

« Un jour, quelqu'un est entré dans mon bureau et a pleuré dans mes bras. Et moi, j'ai été capable de l'aider à continuer à vivre. »

Espérance
Matimekush-Lac John

Je viens de Matimekush-Lac John et j'ai fréquenté le pensionnat de Maliotenam de 1964 à 1968. Je suis allée à l'école à Schefferville jusqu'en troisième année. C'était un père qui était professeur et on apprenait tous ensemble dans une salle. Ensuite, ils ont commencé à nous envoyer en ville, à Notre-Dame, et c'est là que j'ai fait ma quatrième année. L'année suivante, ma mère est allée voir le père pour m'envoyer au pensionnat.

Je n'ai jamais eu l'occasion d'en parler avec eux mais j'en ai voulu longtemps à mes parents. Mon père travaillait déjà à la compagnie. On était treize enfants et on est allés au pensionnat les uns après les autres. Et parfois, en même temps. Lorsque je suis partie à mon tour, je ne comprenais pas pourquoi j'allais là-bas. Nous étions plusieurs et je ne me souviens de rien, sauf que je pleurais et que je ne reconnaissais plus personne. Je me souviens de m'être sentie enfermée. Les Sœurs étaient fatiguées de m'entendre parce que je pleurais tout le temps. Lorsque je repense à cela, je ressens une impression d'enfermement. Dans mes souvenirs, je ne vois pas où je suis mais je suis seule et je pleure, je pleure.

Au début, j'étais dans le groupe des jeunes. Il y avait des religieux, des Frères et des Sœurs, qui s'occupaient de nous. J'étais jeune mais je sentais déjà qu'il se passait des choses. Il y avait un Frère qui travaillait là, Il prenait les petites filles et se promenait avec elles. Moi, j'avais peur de lui, je ne lui faisais pas confiance. Ensuite, quand je suis allée chez les grandes, j'ai vu ce qu'il faisait. À chaque fois qu'il entrait dans la grande salle, il courait après nous. Il faisait semblant de nous chatouiller mais il nous touchait. Au début, je croyais que c'était pour jouer. Mais une fois, tout le monde s'était sauvé et, mon amie et moi, il nous avait coincées dans la salle des casiers. Mon amie me tenait fort pour ne pas que je la laisse seule et il nous touchait partout. J'ai réussi à courir et je suis allée dire aux autres de venir pour sauver mon amie. Les autres sont venues et lui, il est parti en riant. Je croyais qu'il voulait s'amuser avec nous, mais plus tard j'ai compris que ce n'était pas cela qu'il faisait. Il voulait faire quelque chose de mal avec nous et c'est pour cela que j'étais si mal auprès de lui.

On ne discutait pas de cela entre nous. C'est quand on a parlé ouvertement des pensionnats que j'ai su vraiment ce qui était arrivé. Tout ce que j'ai entendu à propos des abus sexuels, je l'ai entendu quand il y a eu le premier colloque à Sept-Îles. J'ai su ce qui était arrivé aux autres, que c'était sale pour les autres et que moi, j'avais été chanceuse. Je repense souvent aux toutes petites filles qui étaient là. Il était toujours avec elles, il les prenait en l'air, il les assoyait sur lui.

Il y avait des mauvais moments mais il y avait aussi des moments heureux. Parfois, on se retrouvait tous ensemble et on voyait nos frères et nos sœurs. J'avais avec moi un grand frère et un petit frère. On n'avait pas le droit d'aller du côté des garçons. On les voyait parfois au réfectoire et, eux aussi, nous voyaient. Ils nous surveillaient pour nous protéger du mieux qu'ils le pouvaient. Et puis, à force de parler français, quand on revenait chez nous, aux Fêtes, on ne savait plus parler notre langue. Ils nous ont vraiment coupés les uns des autres.

Après le pensionnat, je suis allée à l'école en ville, à Sept-Îles. Là, on a commencé à recevoir des punitions. On se sauvait les fins de semaine et la dernière fois, en entrant, la Sœur nous attendait. Elle nous a envoyées au dortoir sans souper. Pendant tout un mois, on a dû aller se coucher à six heures et demie. Il faisait beau dehors, on était en septembre. Une autre fois, on nous a frappées car il y avait eu des vols dans le réfectoire des prêtres. On volait de la liqueur, des fruits, toutes ces choses auxquelles on n'avait pas droit. Il y avait une cantine mais on n'avait pas d'argent. Au printemps, les Sœurs ont trouvé les bouteilles vides qu'on avait laissées dehors. Elles nous ont questionnées chacune à notre tour et nous disaient: « Combien de bouteilles as-tu volées ? On sait que tu étais là. Combien en as-tu volées ? »

Et puis, plus tard, on a commencé à se défendre. Vers 14-15 ans, on allait à Sept-Îles en autobus et on ne revenait pas. On se promenait, on allait dans des familles innues à Uashat. On savait qu'on aurait une punition en revenant mais on savait aussi qu'on pourrait se défendre. J'ai été mise dehors. De toute façon, je me sauvais tout le temps. Ensuite, je suis allée dans une famille d'accueil.

Je suis retournée à Malio et j'ai arrêté l'école. Puis, ensemble, on s'est mis à boire, on était libres. Tous ceux qui sont allés au pensionnat ont consommé ensuite, ont eu des problèmes. Ma période de consommation a duré longtemps, même après mon mariage avec mon conjoint. Mes trois enfants ont connu la violence dans la famille et, quand on a fait des thérapies avec la Fondation de guérison, c'est là que j'ai compris d'où venaient mes problèmes.

Avant, on ne parlait jamais de cela. On ne parlait que de nos mauvais coups et on en riait. On ne parlait jamais de ce qui était vraiment arrivé. J'ai suivi des thérapies pendant cinq ans et cela m'a beaucoup aidée. Avant, je demandais à mes enfants de m'aider dans la maison et je n'étais jamais contente. Ils faisaient les lits ou la vaisselle mais je refaisais tout derrière eux. Je recommençais, je n'étais jamais satisfaite. Mes relations avec mes enfants étaient difficiles. Je les traitais exactement comme on m'avait traitée au pensionnat. Même aujourd'hui, cela me revient parfois et je dois faire attention, car les enfants m'en parlent.

En 1975, j'avais déjà deux enfants mais je voulais travailler, me prendre en main. J'ai commencé comme réceptionniste au Conseil, j'ai remplacé mon amie qui voulait aller enseigner. J'ai travaillé au Conseil pendant trente ans. J'ai pris ma retraite en 2005. Ensuite, j'ai voyagé. Je me suis promenée. J'aime rencontrer les gens mais je ne suis pas une personne qui va en avant. Je laisse cela aux autres qui sont avec moi pour leur permettre de s'exprimer. On avait déjà un groupe et je connaissais l'histoire des survivants; j'ai décidé de m'impliquer avec la Fondation de guérison.

Aucun parent n'avait parlé du pensionnat et plusieurs enfants ne savaient pas que leurs parents étaient des ex-pensionnaires. J'ai envoyé des enfants d'ex-pensionnaires avec un psychologue dans le bois. Mon garçon y est allé avec sa blonde. Le père de sa blonde est aussi un survivant. Tous deux voulaient connaître l'histoire de leurs parents. Et, c'est là que tout a commencé. Je chemine depuis ce temps-là. Aujourd'hui, je vais bien.

Ce que je fais aujourd'hui, c'est-à-dire aider les autres, pleurer avec les autres, cela me touche, me fait du bien. Un jour, quelqu'un est entré dans mon bureau et a pleuré dans mes bras. Et moi, j'ai été capable de l'aider à continuer à vivre. J'étais là pour lui. Alors je n'ai pas pleuré avec lui, j'avais la force de m'occuper de lui. Parfois je ne peux pas me retenir et cela me fait du bien.

Pour me ressourcer, je prie car je n'ai pas mis de côté ma religion malgré le pensionnat. J'ai appris à prier à la petite chapelle et je continue de travailler à l'église avec le prêtre. À l'époque, je n'étais pas capable de lui parler des pensionnats. Et puis, un jour, je lui ai annoncé que je travaillais avec les survivants. Il m'a dit que c'était bien, qu'il savait que je pouvais les aider. Il m'a dit que lui aussi avec ses collègues, dans des réunions, ils parlent de ce qui est arrivé. J'avais peur qu'il soit fâché contre moi parce qu'on parlait de ce que certains prêtres avaient fait, mais pas du tout. Il y a des anciens qui ne veulent rien entendre de l'Église, car ils ont trop eu de religion dans les pensionnats.

Moi, je continue et personne ne peut m'empêcher de pratiquer ma religion. Ce ne sont pas tous les prêtres qui ont fait du mal. Je crois qu'on ne peut pas parler de réconciliation et de projets de guérison si on n'inclut pas les prêtres et les religieuses.

Ça va bien aujourd'hui dans ma famille. Avant, notre problème, c'était la boisson. J'ai arrêté de boire. J'ai neuf petits-enfants dont un de 19 ans qui vit encore avec moi, qui a toujours vécu avec moi. Depuis quatre mois, il travaille. Aujourd'hui, ce sont mes enfants qui commencent à prendre conscience de l'exemple qu'ils donnent à leurs enfants. Ils les surveillent beaucoup. Chaque soir, ils font le tour pour savoir ce qu'ils font, où ils sont et avec qui ils sont. Mon mari et moi aussi, on a fait ça. Alors je leur dis: « Maintenant, c'est à votre tour »

Aujourd'hui, je ne suis pas guérie mais je chemine. J'aime ce que je fais avec mon groupe. Il y en a encore qui sont gênés d'en parler. Certains y pensent mais ne sont pas prêts. On a commencé avec la Fondation à aller dans le bois avec les psychologues et les intervenants. On y est allés avec nos enfants et nous voulons y amener nos petits-enfants.

J'aimerais que les jeunes puissent venir dans le bois. Ils veulent venir. Il y en a qui demandent de venir pendant les fins de semaine. Moi, j'ai formé de jeunes danseurs innus, cinq filles et cinq garçons. Quand j'ai cherché quelqu'un pour leur apprendre à danser, un homme pour les garçons et une femme pour les filles, ces professeurs n'ont jamais demandé d'argent. On a voyagé. On voulait aller en France en 2011 mais ils voulaient des jeunes de 11 ans. Les miens sont plus âgés et je ne veux pas les laisser tomber. Mais aujourd'hui, j'ai besoin d'argent pour les costumes et j'attends les peaux de caribous.

Photo : Pascal Plamondon-Gomez

Recueil d'histoires de vie des survivants des pensionnats indiens du Québec

Photo : Hemera

« Parfois encore le soir, je suis assis devant ma maison et j'éteins la lumière de bonne heure pour mieux réfléchir. Je regarde la noirceur. Moi, je reste tout seul dans le noir. Je me ressource et je me dis: « Je suis content ce soir, je n'ai rien pris. Demain, on verra. »

François

Je m'appelle François. Je suis l'aîné de sept enfants. J'ai deux frères et cinq soeurs, dont l'une est décédée au pensionnat d'une tumeur cancéreuse en 69. Je suis originaire de Wemotaci mais je suis né à l'hôpital de La Tuque, c'est ce que ma mère m'a raconté. Je suis allé au pensionnat de Saint-Marc-de-Figuery, à Amos, pendant deux ans et ensuite, pendant neuf ans à Pointe-Bleue, à Mashteuiatsh qu'on appelle aujourd'hui.

J'étais hésitant à venir vous rencontrer aujourd'hui mais je sais maintenant que les gens doivent savoir ce qui s'est passé, connaître l'histoire des pensionnats et l'histoire des enfants que nous avons été. Je suis devenu soutien de famille à l'âge de treize ans. Tout ce que je gagnais, je le donnais à ma mère pour que l'on puisse manger adéquatement. Ce n'était pas des gros montants mais cela subvenait aux besoins de la famille. Je faisais des travaux, l'été, comme bûcheron. Ensuite, je me suis marié. Puis, j'ai divorcé. J'ai eu six enfants. Le plus vieux est mort d'un accident en 99. Il me reste cinq filles. Je suis grand-père et arrière-grand-père. J'ai treize petits-enfants.

En ce qui concerne la fréquentation des pensionnats, j'ai été bien traité à Amos. À Pointe-Bleue, j'ai été abusé par un religieux quand j'étais adolescent. Après neuf années passées là-bas, je me suis sauvé. En fait, on était quatre. On ne pouvait plus supporter les traitements qu'on nous faisait subir. J'ai abandonné l'école à ce moment-là mais j'y suis retourné ensuite, car j'en avais besoin. Les pensionnats, ce n'est pas que du mauvais, il y avait aussi du bon. Pas ce qu'on nous a fait subir mais ce que nous avons appris. L'enseignement, on s'en sert aujourd'hui. Pour moi, le plus difficile, c'est ce que j'ai subi et c'est ce qui m'a mené à la consommation.

Quand je me suis sauvé du pensionnat à l'âge de quatorze ans, j'étais abusé depuis l'âge de douze ans. Ce sont mes grands-parents qui s'occupaient de moi. Je voulais leur en parler. J'en parlais à mon grand-père mais il ne me croyait pas. J'en parlais à chaque fois que je pouvais mais il ne m'écoutait pas. Il donnait raison aux religieux. J'ai commencé à consommer à l'âge de douze ans. Surtout de la boisson. J'ai aussi essayé la drogue mais ce n'était pas pour moi.

Lorsque je suis passé en audience, j'ai trouvé cela difficile. Je me suis rendu à la limite mais je n'ai pas été capable d'aller jusqu'au bout, de parcourir le même chemin. Cela va toujours rester. Mes enfants et mes petits-enfants ne me posent pas trop de questions. Pourtant, jusqu'à un certain âge, la communication a été difficile. Même avec trois thérapies, je n'étais pas capable de tout raconter. J'avais toujours un poids dans la gorge. Aujourd'hui, j'essaie autant que je peux mais ce n'est pas réglé.

Ma dernière thérapie s'est passée en 2003. Je n'ai pas encore atteint la sobriété mais c'est périodique. Maintenant, je suis modéré. Et même là, à la fin de ces périodes, j'ai beaucoup de difficulté à accepter ce que je fais. Je m'en veux. Quand ma conjointe est partie, j'ai eu un trou noir. Comme je n'étais pas présent, elle a cru que j'étais d'accord avec le divorce. Ensuite, j'ai fait deux tentatives de suicide. Aujourd'hui, je suis content de pouvoir connaître mes petits-enfants. Ils sont là pour quelque chose. Je n'ai pas vu grandir les miens à cause de la consommation.

Ce qui m'a aidé à changer, c'est la communication. À partir du moment où j'ai commencé à m'ouvrir, j'ai retrouvé un certain espoir. La communication devient plus spontanée. Pendant l'audience j'ai dû m'arrêter, car c'était trop difficile. Ensuite, j'en ai parlé à mes jeunes. Eux, ils doivent aller à l'école à l'extérieur. Ils ne connaîtront pas le pensionnat. Mais l'éloignement, ça reste difficile. On m'avait dit que la meilleure thérapie que je pouvais faire, c'était de parler, de m'exprimer et c'est vrai. Maintenant, parfois, je me sens mieux. Ce qui m'aide aussi, c'est de fréquenter ceux qui ont consommé. En revenant chez moi, je pense à ce que nous avons vécu au pensionnat. J'écoute les autres et je pense que nos histoires se ressemblent.

Je me suis bâti un chalet dans le bois, à la limite du village, sur le territoire de chasse de mon père. Mon bonheur, c'est de me bâtir sur le territoire ancestral et de vivre là où il n'y a pas de consommation. Lorsque des gens qui consomment viennent, je m'éloigne en voiture. Quand mes filles viennent, on se promène avec les enfants. On peut parler avec eux dans le dialecte atikamekw. La forêt, c'est ma manière à moi de me ressourcer, de m'aligner sur mon bon chemin. Mais le mauvais revient encore trop souvent.

Une enfance heureuse, c'est de rester en communication ensemble toujours et d'éviter les difficultés à nos enfants. Je les ai abandonnées et c'est difficile pour elles et pour moi. J'ai toujours bu beaucoup plus que j'ai travaillé. Mon salaire y passait. Il y avait toujours beaucoup plus de boisson que de vêtements ou de nourriture. Je voudrais tellement leur éviter mon cheminement. Je ne sais pas si elles vont me pardonner.

Je ne veux pas que les jeunes des nouvelles générations viennent dans mon chemin. Qu'ils restent dans leur propre chemin, qu'ils soient heureux. Moi, j'ai mal vécu. Mon père est parti de bonne heure et on avait une mère autoritaire. Je consommais pour oublier tout ce qui m'arrivait. Je buvais et, quand je me réveillais, c'était encore plus difficile. Aujourd'hui, je dois améliorer ma dépendance, m'en sortir. Et, dès que j'en serai capable, développer un bon mode de vie. Je voudrais que mes enfants ne laissent que ce qui est bon à mes petits-enfants. Ce qui me rend le plus fier aujourd'hui, c'est d'être arrière-grand-père.

Je suis généreux. Avec mes indemnités, j'ai aidé les miens à se sortir de leurs dettes. J'ai acheté une machine à coudre à la mère de mes enfants, je suis en bonne amitié avec elle. J'ai tendance à mettre la priorité sur les autres: ma famille d'abord, puis mon prochain. Je prends soin des autres depuis que je suis petit. Je veux une bonne communication avec les miens. Je ne sais pas encore ce que je voudrais être vraiment. Je sais simplement que j'aimerais être bien avec moi-même, avec ce que j'ai vécu. J'essaie de pardonner. Le pardon est là mais c'est l'oubli qui ne vient pas, c'est une autre présence.

Parfois encore le soir, je suis assis devant ma maison et j'éteins la lumière de bonne heure pour mieux réfléchir. Je regarde la noirceur, je reste tout seul dans le noir. Je me ressource et je me dis: « Je suis content ce soir, je n'ai rien pris. Demain, on verra. » Des fois, j'arrive à faire un bon bout de chemin sans consommer. J'essaie de me tenir avec des gens positifs, de vivre l'instant présent, de ne pas regarder en arrière mais de penser au lendemain. Cela me porte. J'aimerais avoir une bonne ligne de conduite et avoir des relations positives avec les gens. Lorsque quelqu'un me dit quelque chose, cela me marque longtemps. Je suis deux ou trois jours sans parler. Je me promène le long de la rivière, je culpabilise. Je ne veux faire de mal à personne mais je me sens toujours le deuxième.

Je suis allé à Domrémy et j'ai beaucoup travaillé sur moi-même. Puis, j'ai laissé tomber. J'ai laissé mes outils dans un tiroir. Je devrais sortir mes outils. Je ne sais pas si mon témoignage va vous apporter quelque chose. J'ai déjà entendu un témoignage dans un meeting et je me suis dit: « C'est moi ça. C'est mon histoire, c'est ma vie. » J'aurais voulu une autre vie, un autre chemin. À un moment, je suis devenu trop mêlé. Cela devenait trop difficile et je m'apitoyais sur moi-même. Le but, c'est de raconter les survivants et de comprendre les liens entre l'enfance, les pensionnats et le chemin que nous avons eu. C'est de se reconnaître des qualités, du courage et de se reconnaître soi-même, entre nous.

« La vie est un mystère que j'ai résolu avec mon cœur, car je voulais changer. Je n'implore pas la pitié des gens quand je parle de mon passé ; ce que je veux, c'est leur expliquer comment j'ai eu pitié de moi-même et de toute la douleur que je portais. »

Jimmy

Mes frères et moi étions trois au pensionnat de La Tuque. Nous étions alors très jeunes et je ne savais pas ce que ça signifiait à l'époque. Le jour où ils sont venus nous chercher, mes parents ne savaient pas ce qui se passait. Ils ont dit : « Nous allons prendre vos enfants et ils auront une bonne école. Ils deviendront docteurs, infirmières ou ce qu'ils voudront devenir. Vous n'avez qu'à signer ces papiers. » Mon père a dit : « Non, je ne laisserai pas partir mes enfants. » L'officier de la RCMP et le travailleur social de notre communauté ont dit à mon père qu'il irait en prison s'il ne les autorisait pas à faire ce qu'ils voulaient. Nous étions derrière nos parents près du lit, je m'en souviens.

C'était vraiment chargé d'émotions pour mes parents et pour nous-mêmes. Ils ont réussi à nous retirer de notre famille. Quand nous sommes arrivés à La Tuque, ils nous ont emmenés dans un édifice avec une croix à l'entrée. Il y avait une croix à l'entrée de l'école. Deux garçons de notre communauté s'y trouvaient. Ils portaient des costumes. Je connaissais ces garçons. Mon frère et moi les entendions parler. Je comprenais l'anglais, car j'étais allé à l'école anglicane. Ils disaient qu'il n'y avait plus de place pour nous deux dans ce pensionnat, car il y avait trop d'enfants. Ils avaient raison, car un de mes frères et moi avons été emmenés à Montréal dans une maison pour garçons administrée par des catholiques. C'est là que nous avons passé les six années suivantes.

Je ne crois pas que nous ayons été les seuls à être envoyés ailleurs. D'autres enfants sont partis dans des écoles pour garçons. J'y pense depuis que cette histoire de pensionnat est sortie de l'oubli. Plusieurs enfants ont été expédiés ailleurs. Ai-je droit à une compensation vu qu'on m'a envoyé ailleurs ? Ils ont seulement écrit dans notre dossier que nous n'étions pas reconnus comme des enfants du pensionnat. Un de mes frères m'a dit que nous devrions aller en Cour et nous y pensons. Nous étions destinés au pensionnat mais, parce que c'était surpeuplé, ils nous ont envoyés ailleurs. Ce que nous y avons vécu, c'était pareil, c'était la même chose.

Je suis resté là pendant presque sept ans, puis je suis revenu à la maison. Ce fut difficile pour nous. Nous ne pensions qu'à revenir à la maison. Nous demandions aux personnes chargées du programme: « Quand allons-nous retourner à la maison ? » Parfois, quelqu'un répondait: « Jamais ». Comme au pensionnat, nous n'avions pas le droit de parler notre langue. Nous devions parler anglais tout le temps ; personne n'avait le droit de parler sa langue maternelle.

Nous parlons avec mon frère, celui qui est resté au pensionnat. Nous avons vécu la même chose, le même programme. Il nous parle d'abus physiques tels ceux que nous avons subis à la maison pour garçons. C'était exactement la même chose. Ils nous rasaient les cheveux. Quand on parlait notre langue, ils nous lavaient la bouche avec du savon. Nous devions chuchoter entre nous. Ils nous répétaient sans cesse que l'anglais était notre langue maternelle. Heureusement, ils n'avaient pas ce pouvoir-là. J'ai entendu des enfants se faire frapper. Je les entends encore crier la nuit quand je dors. Nous avions si peur à la maison pour garçons que nous collions nos lits ensemble au cas où quelqu'un viendrait. Souvent, un employé entrait dans le dortoir et nous frappait pendant qu'on dormait. Un de nous devait rester éveillé pour faire le guet. Je pense que l'histoire des pensionnats est la plus grande erreur commise contre les Autochtones.

J'ai beaucoup perdu dans cette histoire. Si j'étais resté auprès de mon père, il m'aurait appris la culture et les traditions de mon peuple. Il m'aurait enseigné à chasser. J'ai perdu tout cela. Mon père aussi a perdu, car il était responsable de moi. À mon point de vue, c'est exactement comme si le gouvernement avait dit à mon père qu'il n'était pas capable de prendre soin de son enfant, de sa maison.

Tout ce que j'ai retiré de cette expérience, c'est de la violence, de la souffrance et des idées suicidaires qui m'ont conduit à la consommation de drogues et d'alcool. Cela a complètement changé ma vie.

Jusqu'à aujourd'hui, j'ai essayé du mieux que j'ai pu de reconnaître mes traditions et ma culture. Mes amis et moi sommes membres des Premières Nations et j'en suis fier. J'ai su conserver ma langue et je l'ai transmise à mes deux fils. Il y a quelques années, les services sociaux ont essayé de m'enlever mes enfants. J'ai dû me battre pour leur garde. J'ai dit à la cour: « Ce qui m'est arrivé n'arrivera pas à mes enfants. » Il m'a fallu expliquer à la Couronne ce que j'avais vécu durant toutes ces années. Nous sommes des Amérindiens. Nous ne dérangeons personne. Tout cela doit s'arrêter. Moi, je n'ai jamais essayé de changer personne. Je me regarde et je suis fier de ce que je vois. Maintenant, mon fils est à la maison et parle très bien notre langue. Il a de très longs cheveux comme un Amérindien. Et c'est ainsi que je veux voir mon enfant. Moi, je n'ai jamais eu cette chance quand j'étais là-bas.

L'école pour garçons m'a laissé beaucoup de cicatrices. J'ai dû emprunter un chemin de guérison pour trouver des solutions et m'en sortir. J'ai pris les moyens pour apaiser ma colère et gérer ma violence. Je pense que tous les garçons qui ont vécu dans ces pensionnats se tournent vers l'alcool et les drogues à leur retour dans la communauté. Ça leur permet de se sentir bien. À jeun, les souvenirs remontent et laissent voir les cicatrices.

La chose la plus importante que j'ai eu à faire fut de prendre une décision pour moi-même. Quand, pour la première fois, j'ai réalisé que j'étais alcoolique, ce fut une grande prise de conscience, une ouverture spirituelle. J'ai compris que je n'avais pas à vivre comme cela, que ce n'était pas moi! Je devais faire mes propres choix. J'aurais pu blâmer d'autres personnes pour le reste de ma vie. Aujourd'hui, je suis sobre depuis 23 ans. Je m'entraîne et je fais un certificat à l'université. Je parle de mon passé pour aider les autres et pour tenter de comprendre pourquoi tout cela est arrivé. Mon grand-père, qui était un sage, m'a dit un jour : « Tout ce qui arrive dans la vie, c'est de la survie, bien ou mal. » Même l'aîné qui m'a enseigné en Saskatchewan m'a dit d'équilibrer le bien et le mal pour balancer ma vie.

Qui m'a le plus aidé dans la vie ? Moi-même! J'ai été détenu à cause de ma violence, je n'ai pas honte de le dire. Je détestais être en prison. Je me suis promis de ne plus jamais y remettre les pieds. Et je n'y suis jamais retourné. La vie est un mystère que j'ai résolu avec mon cœur, car je voulais changer. Je n'implore pas la pitié des gens quand je parle de mon passé; ce que je veux, c'est leur expliquer comment j'ai eu pitié de moi-même et de toute la douleur que je portais.

Mes enfants sortent avec leurs amis. Je sais qu'ils vont subir beaucoup d'influence. Quand ils reviennent à la maison, nous en parlons. Le pensionnat m'a façonné en tant que père. Il n'y avait pas que des mauvais côtés, car on nous a éduqués. Cette éducation, nous l'avons gardée et elle nous aide dans notre vie.

Je porte fièrement mon identité amérindienne. Nous sommes allés au chalet en fin de semaine pour chasser. Quand nous ne travaillons pas, nous essayons de faire des activités avec les enfants. Ils aiment les nouvelles technologies et y consacrent beaucoup de temps. Ils sortent avec leurs amis. Ils ont besoin d'expérimenter la vie sociale.

Le pensionnat fut pour nous une expérience plus brutale. Ceux qui y travaillaient ont transgressé la loi. C'est injuste de laisser les prêtres qui ont endommagé nos vies s'en sortir indemnes. Ce que j'aimerais voir se produire? J'aimerais faire ressortir la vraie nature des Premières Nations, notre culture et nos traditions, ramener tout ça. Écouter les aînés nous dire qui nous étions, comment nous vivions et revenir à cette vie d'autrefois. Même nos drames, nous voulons les entendre avant que nos aînés ne meurent. Je viens seulement d'apprendre, il y a trois semaines, où mon frère repose dans le Nord du Québec. C'est un aîné qui m'a renseigné, car mon père est mort. C'est un exemple de ce dont le pensionnat m'a privé. Nous avons perdu une partie de l'histoire des nôtres et de notre savoir, par la faute du gouvernement. Les femmes ont dû réapprendre à fabriquer des mocassins et des raquettes.

J'ai entendu un représentant du gouvernement nous offrir des excuses. Je ne comprends pas pourquoi les personnes directement impliquées ne viennent pas nous dire qu'elles sont désolées du traitement que nous avons subi. Nous devrions amener les coupables à une grande réunion amérindienne, une réunion de guérison. Ils comprendraient alors l'importance de nous présenter leurs excuses. Nous appliquerions la justice amérindienne en leur parlant à l'occasion du Cercle. Nous déciderions de ce qui serait appliqué ensuite. Ce serait le point de départ et, cette fois-ci, ce serait fait de la bonne façon. Nous laisserions l'Est, l'Ouest, le Nord et le Sud se rejoindre dans une grande cérémonie de guérison.

« Je travaille à l'école pour la guérison de la communauté selon les quatre codes anishnabes : le partage, le respect, l'honnêteté et l'humilité. J'ai tout décortiqué en mots simples pour que les jeunes puissent comprendre. C'était cela l'enseignement de nos parents. »

Marie-Jeanne

Je suis née de façon naturelle, dans une tente, dans le bois, comme cela se faisait autrefois. On vivait en nomades dans la forêt. Mon grand-père avait sa maison ici, on venait le retrouver durant l'été et ensuite on partait pour la trappe le reste de l'année. J'étais une petite fille très heureuse. On se déplaçait avec des raquettes et des traîneaux à chien.

À un certain moment, tout a changé. Je ne comprenais pas ce qui se passait. Il y avait un gros autobus gris dans lequel j'ai dû embarquer. Je ne savais pas où cet autobus m'emmenait ni ce que j'allais y faire. Arrivée au pensionnat, je ne comprenais toujours pas. Ils nous disaient : « Prenez votre rang, prenez votre rang ! » Vu qu'on ne comprenait pas leur langue, ils nous tiraient le bras. J'ai alors connu la peur pour la première fois. Avec ma famille, je ne craignais rien, on s'occupait de nous et on nous protégeait des dangers. Là-bas, au pensionnat, c'était autre chose. Je passais mon temps à pleurer. J'ai bien essayé de suivre les directives et faire comme les autres pour ne pas souffrir. Quand on n'écoutait pas, ils nous tiraient les oreilles. Moi, j'avais toujours des otites. Maintenant, je n'entends presque plus d'une oreille. Avant l'autobus, j'étais une enfant aimée, gâtée. Chacun notre tour, on pouvait rester chez nos grands-parents. Après notre retour du pensionnat, notre famille nous traitait de Blancs, car on ne les comprenait plus. On ne comprenait plus notre langue. Là-bas, si on parlait notre langue, on nous punissait et on nous donnait des copies. Les Sœurs me faisaient mal mais je me défendais : j'arrachais leur voile et je les poussais. On était cinq filles toujours ensemble et on se protégeait. Les Sœurs m'ont alors laissée tranquille.

Je suis restée six ans au pensionnat. Ensuite, je suis allée à Senneterre dans une école anglaise pendant deux ans. Là, j'ai recommencé à ne rien comprendre. J'aurais dû être en sixième année mais on m'a descendue en troisième année. Au pensionnat, j'étais très forte en mathématiques et j'étais assez bonne en français. J'étais très fière de moi. À Senneterre, à l'école anglaise, j'ai eu de la difficulté. Je ne comprenais pas l'anglais. J'y suis restée trois ans, jusqu'au premier secondaire. Ensuite, on m'a envoyée à Louvicourt où on m'a inscrite au primaire, en cinquième année. J'ai à nouveau perdu mon estime de moi mais je n'ai pas lâché. J'ai continué quand même jusqu'en deuxième secondaire. J'ai dû arrêter l'école quand ma mère est tombée malade.

J'en ai voulu à mes parents de m'avoir laissée partir. Je suis partie comme ça, sans savoir ce qui se passait. Je ne savais même pas que je partais pour l'école. Ma colère a commencé là. Quand nous revenions l'été, mon frère et moi faisions à notre façon. On était devenus des rebelles, on n'écoutait plus.

Ensuite, j'ai fait ma vie. Je me suis mariée jeune. J'ai été enceinte jeune aussi. Quand je suis tombée enceinte, mes parents ne voulaient plus de moi. Mes grands-parents sont venus me chercher et m'ont emmenée à Senneterre. Ils étaient devenus pentecôtistes et, selon leur mouvement, j'avais transgressé les règles puisque mon enfant avait été conçu avant le mariage. Je suis donc repartie. Je suis allée m'installer chez mon mari. J'ai fait ma vie avec sa famille. Mon mari a passé son enfance avec sa kokom, sa grand-mère. Elle est devenue ma kokom. J'ai beaucoup appris d'elle au niveau de la culture, de la langue et des recettes traditionnelles.

J'ai eu trois enfants. C'était toujours kokom qui les gardait quand on buvait. Elle est morte à 61 ans. Je vivais durement le rejet de ma mère. Heureusement, je n'ai pas beaucoup consommé. Je n'aimais pas le goût de l'alcool et du tabac. Je consommais pour ne pas avoir mal. Je me sentais toujours jugée, abandonnée, surtout quand je faisais une erreur. Puis aussi, quand mon mari est parti. Est-ce que j'ai mérité ces abandons ? Je me pose toujours la question. Depuis peu, j'ai recommencé à établir une relation avec ma mère, nous allons en forêt ou en ville.

On a toujours besoin de quelqu'un d'autre. Au pensionnat, j'ai appris le français, la lecture et l'écriture. Quand je pensais à ce que je voulais faire plus tard, j'hésitais entre être enseignante ou devenir infirmière. L'été, chez mes parents, l'infirmière venait dans le bas de la côte avec son petit sac et sa coiffe blanche. J'allais la voir. Je voulais être comme elle : être une infirmière. Puis, quand je suis allée au pensionnat, j'ai eu le goût d'être enseignante. En regardant travailler les enseignantes, j'ai su que j'aimerais faire cela. Pendant un certain temps, j'ai changé d'idée à cause de la haine que je ressentais. Puis, plus tard, je suis retournée aux études à Chicoutimi où j'ai complété mon programme. J'ai ensuite enseigné au primaire pendant treize ou quatorze ans.

Pendant ce temps, j'étais aussi membre du Conseil. Quand j'ai été élue au Conseil, j'ai demandé à suivre une formation pour bien faire mon travail et pour connaître les stratégies de négociation. Aujourd'hui, je vais bien et j'aime ce que je fais.

Je ne parle pas du pensionnat avec mes enfants, je leur dis simplement qu'ils sont très chanceux. Ce que j'ai vécu m'appartient, je suis allée en thérapie pour régler cela. Je n'ai averti personne quand je suis partie en thérapie. J'y suis restée trois semaines à travailler intensément sur moi. J'ai fait beaucoup de rêves là-bas. Ça m'a pris du temps à pardonner. Lorsque je rencontre des curés ou des bonnes Soeurs, je me demande à chaque fois pourquoi ils nous ont fait subir tout ça s'ils travaillent vraiment pour Dieu.

Était-ce mon chemin que d'aller combattre pour empêcher que nos enfants ne subissent la même chose ? Je n'aime pas que les Services sociaux placent les enfants. Je suis devenue directrice de l'école depuis sept ans et je m'informe toujours, auprès des jeunes, des élèves qui sont en placement. Ça me préoccupe beaucoup. Je ne veux pas qu'ils soient privés de bonne nourriture comme nous l'étions au pensionnat.

Je travaille à l'école pour la guérison de la communauté selon les quatre codes anishnabes : la partage, le respect, l'honnêteté et l'humilité. J'ai tout décortiqué en mots simples pour que les jeunes puissent comprendre l'enseignement de nos parents. Quand un orignal était tué, nos parents partageaient la viande pour nourrir tout le monde.

À l'école où je travaille, j'ai mis en place un système d'enseignement qui vise à ce que les jeunes sortent à l'extérieur. Depuis deux ans, ils dorment dans des tentes. Une collègue de travail, qui a pris sa retraite, m'a dit : « Je vais aller chercher tout ce que ma mère peut me donner en héritage. » Elle apprend de sa mère les enseignements traditionnels et les enseigne dans le parc. Les enfants se regroupent autour d'elle. Ces enseignements font maintenant partie du programme scolaire.

J'ai trois enfants et quatorze petits-enfants qui sont très importants pour moi. Quand mes enfants étaient jeunes, mes parents me donnaient de l'argent pour que je puisse les inscrire au hockey ou au ballon-balai. Je m'endettais chaque année pour payer les équipements et les inscriptions aux nombreux tournois. Je voulais que mes enfants soient bien et qu'ils aient ce que je n'ai pas eu.

Ce que je souhaite à mes petits-enfants, c'est de faire comme moi, d'aller chercher à l'école les outils et les ressources dont ils ont besoin pour travailler pour la communauté. J'ai toujours travaillé pour mes enfants et pour ma communauté.

Je souhaite aux membres de la communauté de guérir de toutes les souffrances qu'ils ont vécues. Ils doivent réapprendre à être heureux comme ils l'étaient autrefois. J'ai été heureuse au pensionnat quand j'ai commencé à apprendre et j'aime encore apprendre. Je voudrais que les enfants de la communauté, les jeunes mamans et les jeunes papas surtout, retournent aux études et reviennent ensuite dans la communauté pour le bien de tous.

J'ai travaillé toute ma vie sur moi-même : Marie-Jeanne arrête d'avoir peur, arrête de souffrir, sors de ta coquille, fonce et va chercher ce que tu veux. Il faut que nos jeunes se relèvent et aillent trouver les personnes ressources de la communauté qui pourront les aider à vivre dans la culture anishnabe. Ces personnes n'attendent que cela.

Photo : Hemera

« Quand je suis revenue chez moi, je ne parlais plus ma langue ; je ne comprenais même plus les enfants de mon âge. Mon frère devait traduire ce que disaient mes grands-parents. J'ai dû m'adapter à cette nouvelle vie, à la vie de ma famille. »

Mary

À dire vrai, vous ouvrez une blessure vieille de quarante-cinq ans. Je crois que j'ai été la plus jeune pensionnaire de La Tuque. Je n'avais que huit ans à l'époque. On nous promettait une bonne éducation si nous allions à l'école. Nos parents ont donc signé les autorisations et, au mois d'août, nous sommes partis pour le pensionnat. Nous ne sommes revenus à la maison que l'été suivant. Cette année-là, je n'ai revu ni mes parents ni mes grands-parents. Ce fut pénible. Dès l'arrivée au pensionnat, nous perdions nos noms, nous devenions des numéros. Je ne m'appelais plus Marie mais M3. Dans la section des femmes, c'était des fleurs et dans la section des hommes, c'était des animaux. Il y avait quatre sections chez les filles et chacune regroupait plusieurs communautés. Nous avions toutes un numéro sur nos vêtements. Ils ont coupé nos longs cheveux en nous disant que nous avions des poux. Je me suis toujours demandé pourquoi j'étais la seule de ma famille à porter des lunettes. Plus tard, je me suis souvenue qu'ils nous lavaient les cheveux avec du vinaigre pour tuer les poux et que j'en avais reçu dans un œil. Le lendemain, je portais des lunettes. Ça m'a fait vraiment mal.

J'ai tout de même conservé plusieurs souvenirs de mon enfance avec ma famille. Je me souviens que mes amis et moi allions à l'école. C'était une toute petite école. Je me demande encore aujourd'hui pourquoi mon frère et moi avons été choisis pour aller au pensionnat. Était-ce parce que nous vivions avec nos grands-parents ?

Je suis revenue chez moi deux ans plus tard. Des gens de notre communauté étaient venus au pensionnat et ils avaient vu comment nous étions traités. Ils n'ont pas aimé ce qu'ils ont vu. Je crois qu'ensuite le Conseil de bande n'a plus voulu qu'on y retourne. À ce moment, je ne parlais plus ma langue, je ne comprenais même plus les enfants de mon âge. Mon frère devait traduire ce que disaient mes grands-parents. J'ai dû m'adapter à cette nouvelle vie, à la vie de ma famille.

Il n'y a pas eu que des désavantages pendant ces deux années. J'ai appris l'anglais. J'ai aussi appris à faire mon lit. Mais ce qui m'a le plus aidée, c'est la religion. Mon peuple est très religieux.

Il y avait toujours de la bataille entre les pensionnaires. J'avais des bleus partout. Je n'en ai jamais parlé, je voulais laisser cela derrière moi. Quand, plus tard, j'ai commencé à remplir les premiers formulaires visant à savoir comment on m'avait traitée, je n'ai pu que signer mon nom. C'était trop difficile de replonger dans tout ça. Je n'ai pas été violée ni touchée. Je n'ai pas subi ce genre d'agressions. J'étais la plus jeune. Je me battais avec celles qui me tiraient les cheveux.

Au début, nous étions tous dans la même grande école. Un jour, ils ont dit que ceux qui amélioreraient leurs résultats scolaires iraient à l'école au centre-ville. J'ai été choisie. Ce fut un grand avantage pour moi. Je marchais tous les jours pour aller à l'école. Il y e a peu parmi nous qui ont eu cette chance. J'étais heureuse de pouvoir sortir de ces murs et c'était difficile d'y revenir chaque fin d'après-midi. Je n'aimais pas leur nourriture. Nous mangions la même chose chaque semaine, jamais de nourriture traditionnelle. Nous devions aller à l'église tous les jours avant d'aller à l'école. Si je pouvais recommencer ma vie, je n'irais pas au pensionnat. Mes enfants n'ont pas connu cette expérience et je ne veux pas que mes petits-enfants la vivent.

Aujourd'hui, mes enfants sont partis. Il ne m'en reste qu'un à la maison. Il a vingt ans. Leur père a eu un accident et il est resté paralysé. Alors mes enfants ont décidé de s'occuper de lui. Comme je ne suis pas assez robuste pour le transporter à son lit ou à son bain, j'ai besoin de la force de leurs bras. Moi, je suis toujours là. Ma récompense, c'est que mes enfants adorent la nourriture traditionnelle, parlent leur langue et adorent chasser.

Avoir une enfance heureuse, c'est vivre sous le même toit que son père et sa mère. Je n'ai pas connu ça. J'ai été élevée par mes grands-parents. Je ne peux pas dire que j'ai eu une enfance heureuse. Mon père est mort quand j'étais jeune. Ma mère s'est remariée et a fondé une autre famille.

Ce que je souhaite à ma communauté, c'est de devenir unie. Je vois des enfants, des gens de ma génération et des jeunes qui ne connaissent rien des traditions. Ce serait bien s'ils pouvaient seulement dire : « Je vais essayer. » Essayer et y mettre son cœur. S'y engager, c'est différent. Si tu veux vraiment apprendre quelque chose, tu le peux. Parfois, quand c'est difficile, les gens abandonnent et se tournent vers les drogues et l'alcool. Mon frère en est mort. Il était allé au pensionnat et je crois que ce fut pire pour lui. Il ne m'en a jamais parlé mais il était très tourmenté. Je n'ai jamais su ce qui s'était passé du côté des garçons. Nous ne pouvions pas y aller. Les seuls moments où je le voyais, c'est lorsque nous jouions dehors. C'était difficile de ne pas pouvoir parler à son propre frère ou à sa propre sœur. Ils nous séparaient, ils ne plaçaient jamais les membres d'une même famille ensemble.

Maintenant, je vais mieux. D'avoir traversé la vie d'une si dure façon m'aide à me battre pour continuer d'être qui je suis maintenant. J'aurais pu consommer drogues et alcool, je ne serais probablement pas assise ici aujourd'hui. Parfois, quand les souvenirs reviennent, c'est très douloureux. Spécialement quand je regarde mes petits-enfants au même âge que celui que j'avais quand j'ai dû partir. Je veux que mes enfants et mes petits-enfants soient heureux, qu'ils reçoivent de l'amour et de la compréhension. Je veux qu'ils soient fiers de ce qu'ils sont.

J'ai tellement détesté le pensionnat que je me détestais en tant qu'Autochtone. J'ai passé plusieurs années en thérapie afin de m'accepter telle que je suis. Aujourd'hui, je suis vraiment fière d'être une Autochtone. Je ne changerais pas d'identité. Le problème en ce moment, c'est que je ne trouve pas suffisamment de temps pour faire tout ce que je voudrais. J'ai un travail, je suis conseillère. Je veux prendre le temps d'aller dans le bois, d'aller pêcher en bateau, de faire un tour de camion. C'est ce que j'aime. Mes enfants ont été élevés dans le bois.

Ma grand-mère faisait de la couture et je n'ai pas pu apprendre auprès d'elle. Il n'y a plus de femmes de ma génération qui savent coudre ou nettoyer un caribou. Nous avons perdu tout cela. C'est génial d'avoir l'électricité et l'eau courante, de pouvoir profiter des nouvelles technologies mais si tu y perds ton âme, tu marches sur l'air. J'ai dû réapprendre ma langue, on rit encore de mon accent. J'avais perdu mon identité. Je ne me respectais plus. Il m'a fallu parler à d'autres femmes, prier et aller en thérapie, c'est ainsi que je suis devenue plus forte.

Ce qui me rendrait plus heureuse, ce serait de pouvoir participer à nouveau à ces ateliers où nous parlions de notre passé. J'aurais aimé que cela puisse continuer. Se rassembler pour parler entre survivants, dans un cercle ou dans les bois, était salutaire. Plusieurs, surtout les hommes, gardent tout en dedans. Ils sont incapables de révéler leurs sentiments et ne veulent pas parler de ce qui leur est arrivé. La plupart des hommes qui sont allés là-bas sont morts. Nous aurions besoin d'une personne-ressource pour guider ces ateliers, quelqu'un qui nous connaît et nous comprend.

Photo : Hemera

« Un jour, j'étais avec mon père. Il marchait devant. Je me suis senti tellement fier et léger, je me sentais enfin une personne complète. Dans le bois, tout ce qu'on avait pu dire de moi au pensionnat tombait comme de vieux vêtements. Depuis ce jour, je sais que leur méchanceté venait tout droit de leur ignorance. »

Taddy

Mon nom est Taddy André. Je suis né à « Là où le lac avance », au Labrador. J'ai été pensionnaire au pensionnat indien de Maliotenam. On était dix enfants. Quand mes frères et mes soeurs sont partis, j'ai pleuré. J'étais trop jeune pour les suivre. Puis, au mois de septembre suivant, ma mère est morte. J'ai passé 10 ans de ma vie au pensionnat.

Autrefois, on vivait dans une maison que mon père avait achetée à Uashat. C'est important de le préciser parce qu'il y a des gens de mon âge qui pensent que le gouvernement a toujours été là et que tout a toujours été gratuit. Avant, pour envoyer ses enfants à l'école, il fallait payer pour l'éducation et le matériel. Les parents faisaient vivre leurs enfants. Ils partaient dans le bois dix mois par année et, à leur retour, ils pouvaient acheter leur maison. On se déplaçait à pied et on voyageait en canot.

Mon père est né en 1924 à près de dix kilomètres de l'endroit où je suis né. Chacun est fier de son lieu de naissance, cela fait partie de nous. Pourtant, au pensionnat, on nous avait déclarés natifs de Sept-Îles. Pourquoi n'avoir pas respecté nos origines ?

Je me souviens d'un hiver où notre tente a brûlé. On se souvient toujours des émotions fortes. J'ai toujours aimé aller dans le bois, grimper aux arbres et aller à la pêche. En ce temps-là, nous n'étions pas enfermés dans les réserves. Un jour, nos parents se sont vu interdire l'accès à leurs territoires. Ils risquaient la prison s'ils défiaient la loi. Quand mon père a voulu retourner sur ses territoires, ils l'en ont empêché. Que ferait le Blanc si on l'empêchait de travailler et de nourrir ses enfants ? Mon père disait: « Même si je reçois une maison et de l'argent, que veux-tu que je fasse avec ça ? » Mais la décision était prise et plus vite on sortait du territoire, plus vite ils pouvaient en faire ce qu'ils voulaient. C'est là que les dégâts ont commencé.

Je suis allé au pensionnat comme mes frères. Mon père nous disait que ce serait bon pour nous. La vie était quand même difficile dans le bois. Jeune, j'ai bien essayé de faire pour le mieux, de respecter les règles et même d'avoir des pensées de Blancs. Bien sûr, on y apprenait plusieurs choses mais on en perdait beaucoup aussi. Ils voulaient nous faire croire que c'était mieux ainsi. Les conséquences de ces années au pensionnat, je les ai comprises plus tard. Un jour, dans ma communauté, j'ai voulu aider le comité des loisirs. Dans ce comité, il y avait un curé, un Blanc et un Innu. L'Innu ne parlait jamais sauf pour dire, à chaque fois que le curé faisait une proposition : « Ah, ça c'est bon! » Il aurait fallu que l'on s'implique davantage, que ça vienne de nous. C'était de nos enfants dont il était question. Je n'étais pas d'accord pour que le curé décide de tout sans que l'Innu qui nous représentait ne dise rien. J'ai compris à ce moment qu'on ne nous avait pas appris à être responsables de nous-mêmes.

Parfois, ceux qui habitaient Maliotenam pouvaient sortir et aller chez eux. Nous, nous restions au pensionnat vu qu'on n'avait pas de famille. On ne recevait jamais de tendresse; tout être humain a besoin de tendresse. Tout ce qu'on pouvait faire, c'était d'essuyer de passer au travers. Moi, j'ai toujours voulu apprendre et être instruit. Je voulais offrir ce qu'il y a de meilleur à mes enfants. Le pensionnat nous a fait perdre nos ambitions sans même qu'on s'en aperçoive. Ces écoles relevaient du Fédéral, elles visaient l'assimilation. C'était difficile ensuite de poursuivre nos études dans une autre école.

À ma sortie du pensionnat, je me suis inscrit à un cours technique à Québec. Malheureusement, avant de partir, j'ai eu une contravention. Je ne pouvais pas la payer et je risquais un mois de prison. Je n'en ai pas parlé à mon père. J'ai arrêté l'école, car je ne voulais pas qu'on me retrace. Au printemps suivant, je me suis marié. Puis, j'ai commencé à travailler sur les chemins de fer, comme apprenti électricien. J'avais un bon travail. Les gens du ministère sont venus et m'ont offert de suivre le cours technique que j'avais choisi auparavant. Mon patron m'a dit que c'était une belle opportunité. Comme j'allais accepter, j'ai appris que le ministère ne défrayait les coûts que d'une année sur trois. J'ai donc décidé de suivre un cours intensif en dessin industriel. Je n'ai jamais pu trouver de travail dans mon domaine à Schefferville. On m'engageait comme journalier ou comme concierge mais jamais comme dessinateur. J'ai subi de la discrimination. Mon frère qui était mécanicien a subi le même traitement.

Ensuite, j'ai travaillé pour le Conseil de bande. Les gens du ministère nous disaient qu'on n'était pas capables de s'administrer. J'ai pris les choses en main. Un an plus tard, je suis allé les rencontrer et je les ai mis au défi de trouver une seule erreur. Mon travail était bien fait mais ce n'était pas encore assez bon pour eux. Ils m'ont fait douter de mes capacités. Pour engourdir mon mal, je buvais.

Comme j'étais responsable de payer les comptes, j'ai commencé à poser des questions aux gens du ministère et au Conseil de bande. Je voulais avoir des factures détaillées. Les employés du ministère nous facturaient pour des services qu'on ne recevait pas. Pendant un an, j'ai refusé de payer. Ils ont menacé de couper l'eau. Je leur ai dit : « Voyons, on a vécu des milliers d'années sans égout. Coupe ce que tu as à couper. » Ils se servaient de nos budgets pour faire fonctionner la ville voisine. C'était une période difficile, alors je buvais. J'ai aussi travaillé pour la ville. J'ai vécu la même situation qu'à Schefferville, je ne pouvais pas obtenir de promotion parce que j'étais un Innu. Je ne voulais prendre la place de personne.

Tout ce que je voulais, c'était grimper les échelons comme tout le monde, mériter mon salaire et être reconnu pour mon travail, car j'étais un bon travaillant. Là aussi, devant cette injustice, j'ai bu. Un jour, j'ai dit à mon patron : « Pour comprendre, passe une journée, une seule, dans la peau d'un Innu. Va en ville et vois comment on te traite. Tu verras que tu auras peut-être envie de perdre la tête le soir toi aussi mon chum. »

Bien sûr que tout cela fait mal mais notre peuple est encore en vie malgré toutes ces années passées à lutter contre l'assimilation. Il n'y avait pas que le gouvernement qui nous faisait du tort, des individus aussi voulaient voir les Innus soumis. J'en ai eu assez. J'ai recommencé à consommer de l'alcool pendant des années. J'ai tout perdu : ma femme, mes enfants et mon travail. Puis, je me suis ressaisi. J'ai cessé de boire et j'ai repris le travail. J'étais malheureux, car je ne m'aimais pas. Tout ce que je voyais autour de moi donnait raison au gouvernement. Peu de temps avant que la ville ferme, on m'a offert un emploi de dessinateur. J'ai vite compris pourquoi : les Blancs savaient que la mine fermait et ils s'en allaient dès qu'ils le pouvaient. Comme je voulais prendre de l'expérience, j'ai accepté. L'ingénieur regardait toujours par-dessus mon épaule. J'ai fini par lui dire : « Regarde ailleurs, tu m'empêches de travailler. » Il n'en revenait tout simplement pas qu'un Innu puisse faire ce travail aussi bien. Ils avaient tellement de préjugés. Si on baisse les bras, on devient ce que les autres veulent que l'on devienne.

En 1987, je suis parti dans le bois avec mon frère. J'y suis resté trois ans. J'ai dû réapprendre ce que j'avais oublié à cause du pensionnat, je ne savais plus rien de la vie en forêt. J'ai aussi dû revoir mes valeurs et développer du respect face au savoir des aînés. Un jour, j'étais avec mon père. Il marchait devant. Je me suis senti tellement fier et léger, je me sentais enfin une personne complète. Dans le bois, tout ce qu'on avait pu dire de moi au pensionnat tombait comme de vieux vêtements. Depuis ce jour, je sais que leur méchanceté venait tout droit de leur ignorance. Le problème était là. Aujourd'hui je sais ce que je vaux.

En sortant du bois, j'ai décidé de faire une thérapie. Cette fois, je n'ai laissé personne choisir pour moi. J'ai pris ce qui était bon pour moi, pas ce qu'on m'imposait. Cette route-là, je l'avais déjà essayée et je savais qu'elle ne menait nulle part. Je viens d'un peuple courageux qui avait un immense savoir et une grande spiritualité. Pour un temps, on a mis nos valeurs de côté. Je n'ai pas beaucoup de connaissances mais je sais d'où je viens. Ce que j'ai perdu en chemin, je vais essayer de le retrouver. Malheureusement, ce sera impossible d'intégrer tout le savoir de mon père. Je suis retourné aux valeurs de mes ancêtres. Quand on veut vraiment, on peut y arriver. L'important, c'est de se respecter et de faire les choses par soi-même, ne rien attendre des autres. Certains n'ont pas retrouvé leur identité et ce sont leurs enfants qui en souffrent.

Il faut que le gouvernement cesse de nous imposer son autorité et redonne leur dignité aux Autochtones du Canada. Par le pouvoir de l'argent, il nous maintient dans la dépendance. Il connaît notre vulnérabilité. Nos peuples peuvent se relever, il y a beaucoup de potentiel dans nos communautés. J'y crois, sinon je ne serais pas là. Tout le monde doit s'y mettre. Il faut que les jeunes s'instruisent. Sans éducation, l'argent va nous tuer. On ne pourra pas faire face aux changements. L'autre jour, j'ai rencontré trois infirmières innues. J'étais fier d'elles et je leur ai dit. Elles sont des modèles pour nos jeunes. C'est de cette façon qu'on se relèvera en tant que peuple.

Il existe encore une politique d'assimilation mais elle est moins visible. Il faut qu'il y ait des cartes comportant les noms innus et le tracé des territoires de nos parents dans nos écoles. Les jeunes doivent savoir d'où ils viennent. C'est important qu'ils se souviennent du passé.

On s'aperçoit souvent trop tard des dégâts causés à l'environnement. Parfois je me dis: « Suis-je le seul à constater que quelque chose ne va pas ? ». On parle du réchauffement de la planète et de la négligence que plusieurs font subir à notre terre. Moi, je dis qu'il peut y avoir un revirement. Nous, on s'en aperçoit. On voit des oiseaux qu'on n'a jamais vus ici avant. Les animaux sont aussi mêlés que nous.

« *Pendant la cérémonie, j'ai entendu les voix de nos grands-pères, de nos arrière-grands-pères et de nos ancêtres. Les autres ne les entendaient pas, moi seule, je les entendais. Ils me disaient qu'ils étaient là pour nous protéger. Ils étaient plusieurs dans la tente.* »

Fleur, « Uapukun », de la nation innue

Pensionnat indien de Maliotenam

J'avais sept ou huit ans quand ma mère m'a amenée au pensionnat. Je n'avais encore rien appris de notre culture. On demeurait à Maliotenam et mon père avait trouvé du travail à Schefferville. Il fallait déménager. J'ai plusieurs frères et sœurs, nous étions huit enfants. Tout allait très bien chez nous. La première école que j'ai fréquentée, c'est le pensionnat. Certains de mes frères et sœurs y étaient déjà quand je suis arrivée. Je pouvais les voir et leur parler. Mes frères m'amenaient à la patinoire. Mes sœurs, elles, étaient chez les grandes.

J'avais peur parfois. Heureusement, il y avait une grande fille qui s'occupait de nous, elle nous protégeait et nous accompagnait. Une fois, je me souviens, j'ai eu des poux et j'avais des plaies partout sur la tête. C'était au mois de décembre et ma mère était venue nous voir. Elle était très fâchée, elle disait qu'on s'occupait mal de nous. En janvier, elle a refusé que je retourne au pensionnat. Mes parents étaient installés à Schefferville à ce moment-là, car la mine était ouverte. Ma mère m'a débarrassée de mes poux et a soigné mes plaies ; ce fut long et difficile. Je ne suis pas retournée au pensionnat avant plusieurs années. J'y étais allée à peu près six mois. Ensuite, au début des années 60, je suis allée à l'école à Schefferville. Il y avait deux écoles : une école naskapie et une école de Blancs. On était tous ensemble et on avait du plaisir. À quatorze ans, je suis retournée au pensionnat. J'y suis restée deux ans.

Le plus beau souvenir que j'ai gardé du pensionnat, c'est le pique-nique organisé pour la fin de l'année scolaire. Ensuite, je revenais passer l'été avec ma famille. À dix-sept ans, j'étais indisciplinée, je ne respectais pas les règlements. J'ai été renvoyée. J'aurais préféré rester, car j'avais des amies, beaucoup d'amies. Mes frères aussi étaient là. Dans mon cas, le pensionnat n'a pas été négatif. J'y ai reçu une bonne éducation.

Par la suite, j'ai été placée dans des familles d'accueil à Sept-Îles. Ce fut plus difficile qu'au pensionnat. Je restais dans des familles innues. Je ne pardonne pas encore aujourd'hui aux dirigeants du pensionnat de m'avoir renvoyée et de ne pas avoir assuré ma protection. Mes parents n'ont même pas été prévenus que je quittais le pensionnat. C'est moi qui leur ai appris à la fin de l'année scolaire.

Je me suis mariée à dix-huit ans. Mon mari aussi était allé au pensionnat. Je me suis séparée quand j'ai cessé de consommer. J'ai pris cette décision pour moi-même d'abord, puis pour mes enfants. L'alcool ne m'apportait plus de soulagement. J'avais des amies qui avaient réussi à cesser de consommer à l'aide de thérapies. Je suis allée aux AA avec elles et j'ai beaucoup aimé cela.

La dernière thérapie m'a beaucoup aidée. Cette fois-là, c'est pour moi que je l'ai suivie. Auparavant, c'était pour faire plaisir à mon mari ou à mes enfants. Je suis aussi allée dans le bois avec un groupe. J'ai vraiment aimé cela. J'ai pris conscience de mes faiblesses : j'éprouve de la difficulté à exprimer mes sentiments et à m'affirmer. Quand je vivais avec mon mari, il me disait toujours. « Je ne veux pas que tu parles de moi devant les autres. » Je suis devenue une femme qui ne parle pas beaucoup, j'ai toujours eu peur de parler.

Quand je buvais, je négligeais beaucoup mes enfants. Je ne m'occupais pas d'eux. Ils ont dû se débrouiller seuls. Je me sentais coupable. Un de mes enfants m'a dit que je n'avais pas été une bonne mère. Je lui ai conseillé de suivre une thérapie pour se libérer du mal que je lui avais fait involontairement. Un autre m'a dit qu'il s'ennuyait de moi quand je partais pour aller consommer, que je lui avais beaucoup manqué. Ils parlent aussi parfois de leur père.

Je vais parfois à Sept-Îles, ma soeur y habite. J'ai aussi des amies là-bas qui travaillent pour aider les femmes qui subissent de la violence. Je me sens libérée et soulagée quand je pars quelque temps de Schefferville. J'aimerais suivre une autre thérapie pour me sentir mieux et apprendre à m'affirmer davantage sans craindre d'être jugée par les autres.

Je travaille à la Maison des Femmes. Elles me demandent de raconter ce qui s'est passé au pensionnat et je le fais pour qu'elles connaissent notre histoire J'ai voulu organiser des thérapies dans le bois l'année dernière. Ma soeur avait accepté de nous prêter son chalet et nous apportions aussi nos tentes. On devait partir en septembre mais le projet a été annulé parce que mon ex-mari est tombé malade. Maintenant, je pourrais tout organiser à nouveau. J'aurais besoin de quelqu'un pour m'aider à présider la cérémonie. Ce serait bien que les Aînés de la communauté nous enseignent à présider nos cérémonies.

J'en connais un qui pratique ce rituel dans le bois, dans le silence.

J'essaie de retrouver ma spiritualité et ma culture. Je sais que ce sera bon pour moi. À deux occasions, je suis allée dans la tente à suer. La première fois, je voulais voir comment cela se passait. Au début, j'avais peur. Nous étions plusieurs et il faisait très chaud. J'ai dû enlever mes lunettes et mes bijoux. Une femme près de moi m'a dit: « N'aie pas peur. » C'est elle qui tenait le Bâton de parole. Un homme de la Saskatchewan avait apporté des objets sacrés qu'il avait placés au centre afin de les offrir en partage. Ça m'a rendue fière d'être membre des Premières Nations. J'étais contente qu'il soit venu partager ces objets sacrés avec les Innus pour enrichir la mémoire de notre passé. Pendant la cérémonie, j'ai entendu les voix de nos grands-pères, de nos arrière-grands-pères et de nos ancêtres. Les autres ne les entendaient pas ; moi seule, je les entendais. Ils me disaient qu'ils étaient là pour nous protéger. Ils étaient plusieurs dans la tente. Je suis sortie vérifier si c'était réel ou si c'était un enregistrement. C'était bien réel. Quand j'en ai parlé à mon amie, elle m'a crue. Depuis ce jour, j'ai la foi. Il m'arrive d'avoir des pressentiments. Je sais qu'un événement ou un décès va survenir. Je le sens, je le vois. Je ne sais ni pourquoi ni comment cela m'est venu. Je le prends comme un message venu de nos ancêtres pour le bien-être de notre communauté.

Photo : Patrice Gosselin

« Du point de départ au point d'arrivée, quand on revenait avec les saisons, au moment du pré-printemps, au printemps, c'est ce que je veux montrer à mon fils. Laisser des traces sur les territoires familiaux et permettre à mes enfants d'assister au retour de chaque saison anishnabe. Mais l'attente est très longue ».

Noyeh

Pashkoshtegwan, mon nom de tradition anishnabe est celui qui n'a pas de cheveux sur la tête. J'ai fréquenté le pensionnat de St Marc de Figuery.

Le pensionnat a changé mon nom Noyeh en Noël. Jusqu'à dix-huit ans, j'ai eu le nom de Noël Michel. Dans les premiers dix-huit ans de ma vie, mon existence était illégale. Le pensionnat avait changé mon nom et l'état civil m'avait inscrit sous le nom de Joseph Noé Michel. Moi, j'aime mieux prendre le nom que ma mère m'a donné: Noyeh. Je me suis donné mon nom traditionnel qui est Pashkoshtegwan.

Je suis né au grand Lac Victoria. Quand l'autobus gris est arrivé, on ne savait pas ce qui nous arrivait, il y avait un attroupement et on nous disait : « Préparez-vous, habillez-vous, on vous emmène. Vous allez partir.» Au moment où on était embarqué dans l'autobus et qu'on voyait disparaître notre grand-mère, on ne savait pas où on se rendait, où on allait.

Quand j'ai mis les pieds au pensionnat, je me suis senti comme un lièvre pris dans un collet. Je me souviens, un été, j'avais été au collet avec ma tante et elle m'avait dit: « Si tu trouves un lièvre vivant, détache-le et ramène-le à la maison. On va le garder deux ou trois jours et on va le relâcher après ». C'est comme cela que j'ai vu mon premier lièvre. Il était pris, mais il n'avait pas bougé. Il avait réussi à vivre pendant je ne sais combien de temps, Je l'ai détaché et ramené à la maison. Au bout de deux ou trois jours, on l'a relâché.

C'est comme cela que je me suis senti au pensionnat. J'ai pleuré pendant toute une semaine. Je ne pouvais pas supporter ça. J'ai été chanceux parce qu'un jeune de mon âge et de ma communauté, un ami d'enfance, est venu me voir et m'a dit : « Fais-toi en pas, on va repartir un jour, on va retourner chez-nous ». J'ai pris courage et je me suis dit : « Ça va, un jour on va repartir chez-nous ». Si ça n'avait pas été de lui, je ne sais pas comment cela aurait pu tourner. Il est ici en ce moment, il a le même âge que moi, nous sommes des amis d'enfance et ce qu'il m'a donné, je l'ai donné à d'autres. J'ai vu là beaucoup de jeunes comme moi. L'année suivante, je les ai accueillis moi aussi. J'ai fait le même cheminement. Cela me donnait du courage et le sens des responsabilités.

Quand je suis entré au pensionnat, je pense que j'avais sept ans. Moi, j'ai été élevé par ma grand-mère, par des femmes seulement, jusqu'à l'âge de onze ans. Quand j'avais dix ans, ma grand-mère est morte. J'étais au pensionnat. C'était elle qui se débrouillait toujours pour venir me chercher et elle était partie. Je n'ai vu ni ses obsèques, ni son enterrement.

À partir du moment où ma grand-mère est morte, j'ai pris la décision de m'élever tout seul. Quand j'ai quitté le pensionnat au mois de juin de mes onze ans, j'avais un petit frère avec lequel je n'avais jamais vécu, mais je savais qu'il était dans le même autobus que moi et qu'il allait débarquer quelque part. Alors je me suis dit que j'allais débarquer au même endroit que lui.

C'est le premier choix que j'ai fait. J'ai pris la responsabilité de m'élever moi-même mais sans cesser de respecter les membres de ma famille. Quand je suis arrivé ici, au lac Simon, quand l'autobus s'est arrêté, j'ai eu un sentiment de lassitude. Moi, je n'étais nulle part et je n'allais nulle part. Je me suis assis avec ma petite valise et j'ai regardé tout le monde descendre de l'autobus et j'ai vu une dame qui venait et vers qui tous les enfants couraient. En descendant de l'autobus, mon petit frère l'a amenée un peu plus loin. Elle est venue me voir et m'a demandé : « Où tu t'en vas ? » Je lui ai dit : « Je ne sais pas, je n'ai pas encore décidé. » Elle a dit : « Nous, on va au lac Grenet, si tu veux venir avec nous autres, on s'en va ». Je me suis levé et je lui ai dit : « Je vais vous suivre, mais à une condition : je vais travailler demain ». J'avais juste onze ans. Elle m'a dit : « Tu veux travailler ? Je vais en parler ». Elle est allée parler avec quelqu'un qui est venu me voir : « Tu veux travailler ? Demain matin à cinq heures, tu commences ».

À cinq heures du matin, je l'ai suivi. C'était mon premier travail, dans les gros bateaux de fer à ramasser des billots de huit pieds au bord des rivages. Pendant trois ans, j'ai travaillé à la drave. J'avais le choix de prendre ma destinée en main et de dire que j'allais l'améliorer.

Le pensionnat, comme je l'ai vécu, c'était ma destinée. J'ai vécu de la violence et j'ai réussi à passer au travers à cause de cette voix que j'entendais : « Cela va passer ». En répétant cette phrase, cela me donnait du courage mais en même temps cela rendait les choses que je vivais comme « normales ».

Avec les années, c'est comme si je fermais les yeux, comme si je normalisais. Malgré tout ce que je vivais au pensionnat, il y avait l'enseignement, l'éducation. À tous les niveaux, j'étais dans la moyenne et je pouvais m'en sortir.

Une des belles choses que j'ai vécues, ce n'était pas au pensionnat, mais à l'extérieur, lorsque j'ai été choisi l'artiste de l'année. J'avais un ami québécois dont le père possédait une salle de spectacle et tous les groupes de l'époque, les Sultans, les Baronnets, les Classels, passaient là. J'avais un billet car je nettoyais, je faisais office de concierge. Mon ami a parlé à son père qui lui a dit: « C'est encore ton indien? » Il a accepté qu'on décore la salle communautaire. Il n'avait jamais mentionné mon nom. À chaque soirée, on disait que c'était beau et cela me suffisait parce qu'au pensionnat, on n'avait jamais de moment où les soeurs ou les frères nous disaient: « Tu es bon, tu as du talent ». Jamais.

À Amos, en secondaire trois, le directeur avait mentionné que notre classe allait s'occuper de la graduation des secondaires cinq. Mon ami me dit à moi: « C'est le temps de montrer tes talents ». C'était une grande salle et j'ai tout décoré, cela m'a pris toute la journée. C'était la période des hippies, du flower power, et c'est cela que j'ai fait. Quand les élèves sont arrivés pour la graduation, ils étaient stupéfaits et moi j'étais gêné. Quand le spectacle a été fini, c'est là qu'ils ont prononcé mon nom pour me présenter au public. C'était rare qu'on présente un Indien dans une école de Blancs. On était à peu près cinq ou six dans cette école-là. J'étais satisfait, je savais que j'avais fait ma marque et que c'était dans ce domaine-là que je voulais aller, dans le domaine des arts.

Ensuite, j'ai fait comme les autres, j'ai commencé à prendre de la boisson, de la drogue. J'aimais que les gens viennent me voir et me disent « t'es cool », mais j'avais peur du monde normal. À dix-huit ans, j'avais ce rêve d'avoir un fils. Aujourd'hui, il a seize ans. Je l'élève comme il faut et en plus j'ai trois autres enfants et j'ai adopté l'un d'eux, un petit gars. J'ai reconstitué ma famille; c'est ma joie et ma fierté.

J'ai fait des recherches pour trouver un équilibre, au niveau de ma spiritualité, de ma santé, de mes émotions, de mon apparence physique. À un moment, je ne croyais plus en rien, j'avais tout ce mal-être. Tranquillement, je me suis demandé: « Qu'est-ce que cela signifie être Anishnabe? » Anishnabe culturel ou purement traditionnel ? Il faut créer le rapport avec ceux qui vivent dans le monde urbain, trouver ces équilibres-là. J'ai réussi à me forger une identité par rapport à cela, mais c'est grâce aux arts et à la musique. Depuis dix ans, je parle et je chante. Chez-vous, je suis un artiste inconnu, méconnu, mais ici, je suis connu. Et nous chantons dans notre langue, nous existons dans notre langue. Voilà ce que Anishnabe a fait, c'est cela mon équilibre.

Mais le plus grand équilibre, c'est celui que j'ai crée avec mes enfants. Contrairement à eux, j'ai vécu ma jeunesse, les hippies, le disco, le rock, le new wave. Comme artiste, je m'identifie en tant qu'Anishnabe. Quand quelqu'un m'appelle un « Indien », je dis, « non, je suis un Anishnabe ». Les Premières Nations d'ici nous désignaient « les mangeurs d'écorces ». Des Algonquins ? Non, on est des Anishnabe.

Moi, je me dis que si on m'a pris et qu'on m'a mis dans un pensionnat, c'est à moi maintenant de me prendre en main et de me dire: « Voilà mes racines, voilà comment je m'appelle, qui je suis ». C'est ma force maintenant. Quand je rencontre des gens, je m'explique. Essayez de trouver votre équilibre comme nous avons trouvé notre équilibre. Les deux cultures, et moitié des deux musiques : le chant traditionnel, les tambours, et le hip hop. Voilà le message que je donne aux jeunes musiciens : « Prenez des deux mondes, faites votre monde, mais de grâce, soyez Anishnabe. »

Je suis toujours reconnaissant à ceux qui m'aident. On n'a pas reçu nécessairement l'amour de nos parents. Ils ne nous ont pas dit « je t'aime ». Mon fils aujourd'hui a seize ans et je lui dis « je t'aime» tous les jours, et à mes autres enfants aussi. Moi, c'est cela qui m'a manqué.

Le seul véritable héritage qu'on a reçu de nos parents, c'est le territoire, nos terres traditionnelles. Je dis souvent à mon fils : « Je suis l'aîné selon la tradition patriarcale, comme on dit le chef d'un territoire, l'aîné de la famille. Après moi, c'est toi; tu devras prendre la relève et les responsabilités qui s'y rattachent, c'est cela la tradition. » La raison pour laquelle je voulais adopter un autre petit gars, c'est que je voulais pour lui, dans mon arbre généalogique, créer une branche. Je lui donne mon nom et aussi un territoire traditionnel. Et ce sera chez lui. Je veux donner un héritage à mon enfant. Ici, au niveau de la réserve, on ne peut rien posséder. J'ai fait la demande et sur le territoire de mes parents, j'ai construit une maison pour la laisser à mes enfants. Avant, je n'avais pas compris l'importance d'être l'aîné, de posséder un territoire traditionnel. Du point de départ au point d'arrivée, quand on revenait avec les saisons, au moment du pré-printemps, au printemps, c'est ce que je veux montrer à mon fils. Laisser des traces sur les territoires familiaux et permettre à mes enfants de voir cela, mais l'attente est très longue.

Présentation d'excuses du gouvernement du Canada aux anciens élèves des pensionnats indiens

Présentation d'excuses aux anciens élèves des pensionnats indiens

Le traitement des enfants dans ces pensionnats est un triste chapitre de notre histoire.

Pendant plus d'un siècle, les pensionnats indiens ont séparé plus de 150 000 enfants autochtones de leurs familles et de leurs communautés. Dans les années 1870, en partie afin de remplir son obligation d'instruire les enfants autochtones, le gouvernement fédéral a commencé à jouer un rôle dans l'établissement et l'administration de ces écoles. Le système des pensionnats indiens avait deux principaux objectifs : isoler les enfants et les soustraire à l'influence de leurs foyers, de leurs familles, de leurs traditions et de leur culture, et les intégrer par l'assimilation dans la culture dominante. Ces objectifs reposaient sur l'hypothèse que les cultures et les croyances spirituelles des Autochtones étaient inférieures. D'ailleurs, certains cherchaient, selon une expression devenue tristement célèbre, « à tuer l'Indien au sein de l'enfant ». Aujourd'hui, nous reconnaissons que cette politique d'assimilation était erronée, qu'elle a fait beaucoup de mal et qu'elle n'a aucune place dans notre pays.

Cent trente-deux écoles financées par le fédéral se trouvaient dans chaque province et territoire, à l'exception de Terre-Neuve, du Nouveau-Brunswick et de l'Île-du-Prince-Édouard. La plupart des pensionnats étaient dirigés conjointement avec les Églises anglicane, catholique, presbytérienne ou unie. Le gouvernement du Canada a érigé un système d'éducation dans le cadre duquel de très jeunes enfants ont souvent été arrachés à leurs foyers et, dans bien des cas, emmenés loin de leurs communautés. Bon nombre d'entre eux étaient nourris, vêtus et logés de façon inadéquate. Tous étaient privés des soins et du soutien de leurs parents, de leurs grands-parents et de leurs communautés. Les langues et les pratiques culturelles des Premières

nations, des Inuits et des Métis étaient interdites dans ces écoles. Certains de ces enfants ont connu un sort tragique en pension et d'autres ne sont jamais retournés chez eux.

Le gouvernement reconnaît aujourd'hui que les conséquences de la politique sur les pensionnats indiens ont été très néfastes et que cette politique a causé des dommages durables à la culture, au patrimoine et à la langue autochtones. Bien que certains anciens élèves aient dit avoir vécu une expérience positive dans ces pensionnats, leur histoire est de loin assombrie par les témoignages tragiques sur la négligence et l'abus émotif, physique et sexuel d'enfants sans défense, et de leur séparation de familles et de communautés impuissantes.

L'héritage laissé par les pensionnats indiens a contribué à des problèmes sociaux qui persistent dans de nombreuses communautés aujourd'hui.

Il a fallu un courage extraordinaire aux milliers de survivants qui ont parlé publiquement des mauvais traitements qu'ils ont subis. Ce courage témoigne de leur résilience personnelle et de la force de leur culture. Malheureusement, de nombreux anciens élèves ne sont plus des nôtres et sont décédés avant d'avoir reçu des excuses du gouvernement du Canada.

Le gouvernement reconnaît que l'absence d'excuses a nui à la guérison et à la réconciliation. Alors, au nom du gouvernement du Canada et de tous les Canadiens et Canadiennes, je me lève devant vous, dans cette chambre si vitale à notre existence en tant que pays, pour présenter nos excuses aux peuples autochtones pour le rôle joué par le Canada dans les pensionnats pour Indiens.

le 11 juin 2008

Aux quelque 80 000 anciens élèves toujours en vie, ainsi qu'aux membres de leurs familles et à leurs communautés, le gouvernement du Canada admet aujourd'hui qu'il a eu tort d'arracher les enfants à leurs foyers et s'excuse d'avoir agi ainsi. Nous reconnaissons maintenant que nous avons eu tort de séparer les enfants de leur culture et de leurs traditions riches et vivantes, créant ainsi un vide dans tant de vies et de communautés, et nous nous excusons d'avoir agi ainsi. Nous reconnaissons maintenant qu'en séparant les enfants de leurs familles, nous avons réduit la capacité de nombreux anciens élèves à élever adéquatement leurs propres enfants et avons scellé le sort des générations futures, et nous nous excusons d'avoir agi ainsi. Nous reconnaissons maintenant que, beaucoup trop souvent, ces institutions donnaient lieu à des cas de sévices ou de négligence et n'étaient pas contrôlées de manière adéquate, et nous nous excusons de ne pas avoir su vous protéger. Non seulement vous avez subi ces mauvais traitements pendant votre enfance, mais, en tant que parents, vous étiez impuissants à éviter le même sort à vos enfants, et nous le regrettons.

Le fardeau de cette expérience pèse sur vos épaules depuis beaucoup trop longtemps. Ce fardeau nous revient directement, en tant que gouvernement et en tant que pays. Il n'y a pas de place au Canada pour les attitudes qui ont inspiré le système de pensionnats indiens, pour qu'elles puissent prévaloir à nouveau.

Le gouvernement du Canada présente ses excuses les plus sincères aux peuples autochtones du Canada pour avoir si profondément manqué à son devoir envers eux, et leur demande pardon.

Entrée en vigueur le 19 septembre 2007, la Convention de règlement relative aux pensionnats indiens s'inscrit dans une démarche de guérison, de réconciliation et de règlement des tristes séquelles laissées par les pensionnats indiens. Des années d'efforts de la part des survivants, des communautés et des organisations autochtones ont abouti à une entente qui nous permet de prendre un nouveau départ et d'aller de l'avant en partenariat. La Commission de vérité et de réconciliation est au cœur de la Convention de règlement. La Commission constitue une occasion unique de sensibiliser tous les Canadiens et Canadiennes à la question des pensionnats indiens. Il s'agira d'une étape positive dans l'établissement d'une nouvelle relation entre les peuples autochtones et les autres Canadiens et Canadiennes, une relation basée sur la connaissance de notre histoire commune, sur un respect mutuel et sur le désir de progresser ensemble, avec la conviction renouvelée que des familles fortes, des communautés solides et des cultures et des traditions bien vivantes contribueront à bâtir un Canada fort pour chacun et chacune d'entre nous.

Au nom du gouvernement du Canada
le très honorable Stephen Harper,
premier ministre du Canada

Réflexions

Réflexions

Réflexions

Réflexions

Reflexions